사고력 수학 소마가 개발한 연산학습의 새 기준!!

소마의 **마**술같은 원리셈

C8
3학년

- 생각하는 수 이야기 08
- 1주차 – ( )가 있는 식 09
- 2주차 – { }가 있는 식 25
- 3주차 – 혼합 계산식의 활용 (1) 41
- 4주차 – 혼합 계산식의 활용 (2) 57
- Drill (보충학습) 71
- 정답 89

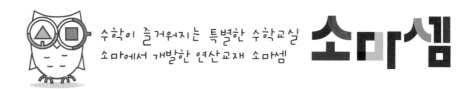

수학이 즐거워지는 특별한 수학교실
소마에서 개발한 연산교재 소마셈

소마셈

2002년 대치소마 개원 이후로 끊임없는 교재 연구와 교구의 개발은 소마의 자랑이자 자부심입니다. 교구, 게임, 토론 등의 다양한 활동식 수업으로 스스로 문제해결능력을 키우고, 아이들이 수학에 대한 흥미와 자신감을 가질 수 있도록 차별성 있는 수업을 해 온 소마에서 연산 학습의 새로운 패러다임을 제시합니다.

연산 교육의 현실

연산 교육의 가장 큰 폐해는 '초등 고학년 때 연산이 빠르지 않으면 고생한다.'는 기존 연산 학습지의 왜곡된 마케팅으로 인해 단순 반복을 통한 기계적 연산을 강조하는 것입니다. 하지만, 기계적 반복을 위주로 하는 연산은 개념과 원리가 빠진 연산 학습으로써 아이들이 수학을 싫어하게 만들 뿐 아니라 사고의 확장을 막는 학습방법입니다.

초등수학 교과과정과 연산

초등교육과정에서는 문자와 기호를 사용하지 않고 말로 풀어서 연산의 개념과 원리를 설명하다가 중등교육과정부터 문자와 기호를 사용합니다. 교과서를 살펴보면 모든 연산의 도입에 원리가 잘 설명되어 있습니다. 요즘 현실에서는 연산의 원리를 묻는 서술형 문제도 많이 출제되고 있는데 연산은 연습이 우선이라는 인식이 아직도 지배적입니다.

연산 학습은 어떻게?

연산 교육은 별도로 떼어내어 추상적인 숫자나 기호만 가지고 다뤄서는 절대로 안됩니다. 구체물을 가지고 생각하고 이해한 후, 연산 연습을 하는 것이 필요합니다. 또한, 속도보다 정확성을 위주로 학습하여 실수를 극복할 수 있는 좋은 습관을 갖추는 데에 초점을 맞춰야 합니다.

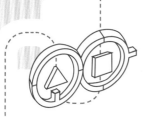

소마셈 연산학습 방법

10이 넘는 한 자리 덧셈　　**구체물을 통한 개념의 이해**

덧셈과 뺄셈의 기본은 수를 세는 데에 있습니다. 8+4는 8에서 1씩 4번을 더 센 것이라는 개념이 중요합니다. 10의 보수를 이용한 받아 올림을 생각하면 8+4는 (8+2)+2지만 연산 공부를 시작할 때에는 덧셈의 기본 개념에 충실한 것이 좋습니다. 이 책은 구체물을 통해 개념을 이해할 수 있도록 구체적인 예를 든 연산 문제로 구성하였습니다.

가로셈　　**가로셈을 통한 수에 대한 사고력 기르기**

세로셈이 잘못된 방법은 아니지만 연산의 원리는 잊고 받아 올림한 숫자는 어디에 적어야 하는지만을 기억하여 마치 공식처럼 풀게 합니다. 기계적으로 반복하는 연습은 생각없이 연산을 하게 만듭니다. 가로셈을 통해 원리를 생각하고 수를 쪼개고 붙이는 등의 과정에서 키워질 수 있는 수에 대한 사고력도 매우 중요합니다.

곱셈구구　　**곱셈도 개념 이해를 바탕으로**

곱셈구구는 암기에만 초점을 맞추면 부작용이 큽니다. 곱셈은 덧셈을 압축한 것이라는 원리를 이해하며 구구단을 외움으로써 연산을 빨리 할 수 있다는 것을 알게 해야 합니다. 곱셈구구를 외우는 것도 중요하지만 곱셈의 의미를 정확하게 아는 것이 더 중요합니다. 4×3을 할 줄 아는 학생이 두 자리 곱하기 한 자리는 안 배워서 45×3을 못 한다고 말하는 일은 없도록 해야 합니다.

K단계 (5, 6, 7세) • 연산을 시작하는 단계

뛰어세기, 거꾸로 뛰어세기를 통해 수의 연속한 성질(linearity)을 이해하고 덧셈, 뺄셈을 공부합니다. 각 권의 호흡은 짧지만 일관성 있는 접근으로 자연스럽게 나선형식 반복학습의 효과가 있도록 하였습니다.

학습대상 : 연산을 시작하는 아이와 한 자리 수 덧셈을 구체물(손가락 등)을 이용하여 해결하는 아이

학습목표 : 수와 연산의 튼튼한 기초 만들기

P단계 (7세, 1학년) • 받아올림이 있는 덧셈, 뺄셈을 배울 준비를 하는 단계

5, 6, 9 뛰어세기를 공부하면서 10을 이용한 더하기, 빼기의 편리함을 알도록 한 후, 가르기와 모으기의 집중학습으로 보수 익히기, 10의 보수를 이용한 덧셈, 뺄셈의 원리를 공부합니다.

학습대상 : 받아올림이 없는 한 자리 수의 덧셈을 할 줄 아는 학생

학습목표 : 받아올림이 있는 연산의 토대 만들기

A단계 (1학년) • 초등학교 1학년 교과과정 연산

받아올림이 있는 한 자리 수의 덧셈, 뺄셈은 연산 전체에 매우 중요한 단계입니다. 원리를 정확하게 알고 A1에서 A4까지 총 4권에서 한 자리 수의 연산을 다양한 과정으로 연습하도록 하였습니다.

학습대상 : 초등학교 1학년 수학교과과정을 공부하는 학생

학습목표 : 10의 보수를 이용한 받아올림이 있는 덧셈, 뺄셈

B단계 (2학년) • 초등학교 2학년 교과과정 연산

두 자리, 세 자리 수의 연산을 다룬 후 곱셈, 나눗셈을 다루는 과정에서 곱셈구구의 암기를 확인하기보다는 곱셈구구를 외우는데 도움이 되고, 곱셈, 나눗셈의 원리를 확장하여 사고할 수 있도록 하는데 초점을 맞추었습니다.

학습대상 : 초등학교 2학년 수학교과과정을 공부하는 학생

학습목표 : 덧셈, 뺄셈의 완성 / 곱셈, 나눗셈의 원리를 정확하게 알고 개념 확장

C단계 (3학년) • 초등학교 3, 4학년 교과과정 연산

B단계까지의 소마셈은 다양한 문제를 통해서 학생들이 즐겁게 연산을 공부하고 원리를 정확하게 알게 하는데 초점을 맞추었다면, C단계는 3학년 과정의 큰 수의 연산과 4학년 과정의 혼합 계산, 괄호를 사용한 식 등, 필수 연산의 연습을 충실히 할 수 있도록 하였습니다.

학습대상 : 초등학교 3, 4학년 수학교과과정을 공부하는 학생

학습목표 : 큰 수의 곱셈과 나눗셈, 혼합 계산

D단계 (4학년) • 초등학교 4, 5학년 교과과정 연산

분모가 같은 분수의 덧셈과 뺄셈, 소수의 덧셈과 뺄셈을 공부하여 초등 4학년 과정 연산을 마무리하고 초등 5학년 연산과정에서 가장 중요한 약수와 배수, 분모가 다른 분수의 덧셈과 뺄셈을 충분히 익힐 수 있도록 하였습니다.

학습대상 : 초등학교 4, 5학년 수학교과과정을 공부하는 학생

학습목표 : 분모가 같은 분수의 덧셈과 뺄셈, 소수의 덧셈과 뺄셈, 분모가 다른 분수의 덧셈과 뺄셈

소마셈 단계별 학습내용

K단계 추천연령 : 5, 6, 7세

단계	K1	K2	K3	K4
권별 주제	10까지의 더하기와 빼기 1	20까지의 더하기와 빼기 1	10까지의 더하기와 빼기 2	20까지의 더하기와 빼기 2
단계	K5	K6	K7	K8
권별 주제	10까지의 더하기와 빼기 3	20까지의 더하기와 빼기 3	20까지의 더하기와 빼기 4	7까지의 가르기와 모으기

P단계 추천연령 : 7세, 1학년

단계	P1	P2	P3	P4
권별 주제	30까지의 더하기와 빼기 5	30까지의 더하기와 빼기 6	30까지의 더하기와 빼기 10	30까지의 더하기와 빼기 9
단계	P5	P6	P7	P8
권별 주제	9까지의 가르기와 모으기	10 가르기와 모으기	10을 이용한 더하기	10을 이용한 빼기

A단계 추천연령 : 1학년

단계	A1	A2	A3	A4
권별 주제	덧셈구구	뺄셈구구	세 수의 덧셈과 뺄셈	□가 있는 덧셈과 뺄셈
단계	A5	A6	A7	A8
권별 주제	(두 자리 수) + (한 자리 수)	(두 자리 수) − (한 자리 수)	두 자리 수의 덧셈과 뺄셈	□가 있는 두 자리 수의 덧셈과 뺄셈

B단계 추천연령 : 2학년

단계	B1	B2	B3	B4
권별 주제	(두 자리 수) + (두 자리 수)	(두 자리 수) − (두 자리 수)	세 자리 수의 덧셈과 뺄셈	덧셈과 뺄셈의 활용
단계	B5	B6	B7	B8
권별 주제	곱셈	곱셈구구	나눗셈	곱셈과 나눗셈의 활용

C단계 추천연령 : 3학년

단계	C1	C2	C3	C4
권별 주제	두 자리 수의 곱셈	두 자리 수의 곱셈과 활용	두 자리 수의 나눗셈	세 자리 수의 나눗셈과 활용
단계	C5	C6	C7	C8
권별 주제	큰 수의 곱셈	큰 수의 나눗셈	혼합 계산	혼합 계산의 활용

D단계 추천연령 : 4학년

단계	D1	D2	D3	D4
권별 주제	분모가 같은 분수의 덧셈과 뺄셈(1)	분모가 같은 분수의 덧셈과 뺄셈(2)	소수의 덧셈과 뺄셈	약수와 배수
단계	D5	D6		
권별 주제	분모가 다른 분수의 덧셈과 뺄셈(1)	분모가 다른 분수의 덧셈과 뺄셈(2)		

구성과 특징

①

수 이야기

생활 속의 수 이야기를 통해 수와 연산의 이해를 돕습니다. 수의 역사나 재미있는 연산 문제를 접하면서 수학이 재미있는 공부가 되도록 합니다.

②

원리

가장 기본적인 연산의 원리를 소개합니다. 이때 다양한 방법을 제시하되 가장 효과적인 방법을 적용할 수 있도록 단계적으로 접근하여 충분한 원리의 이해를 돕습니다.

소마의 마술같은 원리셈

연습

원리의 이해를 바탕으로 연산이 익숙해
지도록 연습합니다. 먼저 반복적인 연산
연습 후에 나아가 배운 원리를 활용하여
확장된 문제를 해결합니다.

Drill (보충학습)

주차별 주제에 대한 연습이 더 필요한 경우
보충학습을 활용합니다.

TIP 연산과정의 확인이 필수적인 주제는 Drill
의 양을 2배로 담았습니다.

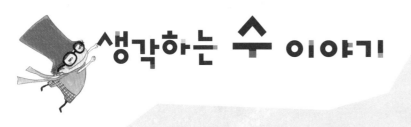

수를 읽는 방법과 수를 쓰는 방법

우리가 수를 읽을 때 네 자리 수는 '일, 십, 백, 천'과 같은 자리 이름을 사용했고, 그보다 더 큰 수를 읽을 때는 '만, 억, 조, …'의 네 자리 수 단위로 수를 세어요.

동양에서는 '만의 만배는 억, 억의 만 배는 조'와 같이 네 자리 수 단위로 수를 세는 것이랍니다.

그런데, 이렇게 우리가 수를 읽을 때는 네 자리씩 끊어 읽는데, 쓸 때는 세 자리마다 쉼표를 찍어 표시하는 것을 알고 있나요?

신문이나 영수증을 보면 다음과 같이 수가 표시되어 있는 것을 볼 수 있어요.

소마 마트

사과 5,200

수박 12,500

…

왜 세 자리마다 쉼표를 찍는 걸까요? 그 이유는 아라비아 숫자가 들어오면서 동양과 서양의 전통이 섞였기 때문이에요.

서양은 '천(Thousand), 백만(Million), 십억(Billion)'처럼 세 자리마다 구분되는 수 개념을 가지고 있어요. 서양 사람들은 자신들의 언어 습관에 따라 세 자리씩 끊어서 읽고, 또 세 자리마다 쉼표를 찍는답니다.

우리나라는 1882년에 미국과 맺은 '조·미 수호 통상 조약'에 처음으로 아라비아 숫자를 사용했다고 해요. 그때부터 읽을 때는 원래처럼 네 자리씩 끊어서 읽지만, 숫자를 쓸 때는 서양을 따라 세 자리마다 쉼표를 찍게 되었답니다.

소마셈 C8 - 1주차

( )가 있는 식

▶ 1일차 : ( )가 있고 덧셈, 뺄셈이 섞여   10
있는 식

▶ 2일차 : ( )가 있고 덧셈, 뺄셈, 곱셈,   13
나눗셈이 섞여 있는 식

▶ 3일차 : ( )가 2개 있는 식   16

▶ 4일차 : 바른 계산 순서 나타내기   18

▶ 5일차 : 문장제   21

( )가 있고 덧셈, 뺄셈이 섞여 있는 식

 □ 안에 알맞은 수를 써넣어 차례로 계산하세요.

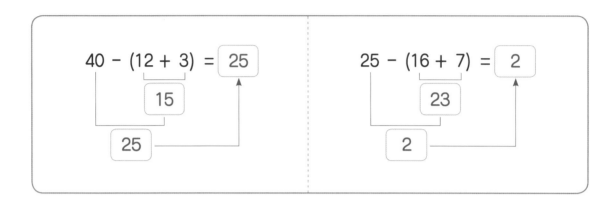

$40 - (12 + 3) =$ 25

15

25

$25 - (16 + 7) =$ 2

23

2

$34 - (14 + 5) =$ ☐

$47 - (13 + 8) =$ ☐

$32 - (15 - 10) =$ ☐

$53 - (28 + 6) =$ ☐

 TIP

( )가 있고 덧셈, 뺄셈이 섞여 있는 식은 ( ) 안을 먼저 계산합니다.

월

일

 □ 안에 알맞은 수를 써넣어 차례로 계산하세요.

37 - (24 - 16) = ☐

48 - (19 + 13) = ☐

51 - (29 + 15) = ☐

72 - (38 + 14) = ☐

64 - (37 - 18) = ☐

56 - (23 - 16) = ☐

□ 안에 알맞은 수를 써넣어 차례로 계산하세요.

$35 - 14 - (7 + 8) = \boxed{6}$

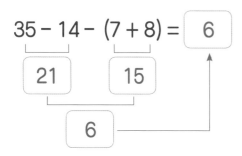

$44 - 12 - (5 + 9) = \boxed{}$

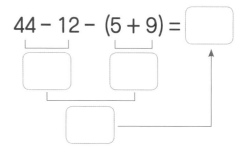

$33 - (18 - 14) + 7 = \boxed{}$

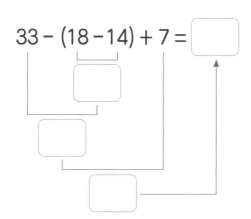

$52 - (6 + 15) - 12 = \boxed{}$

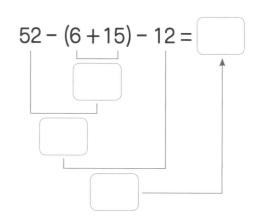

$40 - (16 + 7) + 13 = \boxed{}$

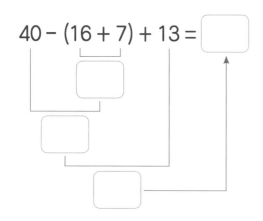

$48 - (11 - 6) - 14 = \boxed{}$

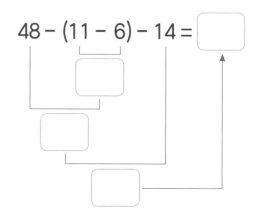

( )가 있고 덧셈, 뺄셈, 곱셈, 나눗셈이 섞여 있는 식

 □ 안에 알맞은 수를 써넣어 차례로 계산하세요.

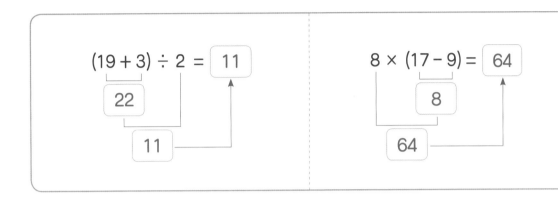

$(19 + 3) \div 2 =$ 11

22

11

$8 \times (17 - 9) =$ 64

8

64

$(15 + 17) \div 4 =$

$(18 + 6) \times 3 =$

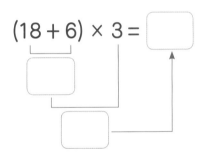

$7 \times (16 - 8) =$

$45 \div (5 + 4) =$

 TIP

( )가 있고 덧셈, 뺄셈, 곱셈, 나눗셈이 섞여 있는 식은 ( ) 안을 먼저 계산합니다.

 □ 안에 알맞은 수를 써넣어 차례로 계산하세요.

(24 + 16) ÷ 5 = ☐

72 ÷ (3 + 6) = ☐

54 ÷ (25 − 16) = ☐

(15 + 17) × 3 = ☐

7 × (33 − 8) = ☐

(41 − 28) × 8 = ☐

□ 안에 알맞은 수를 써넣어 차례로 계산하세요.

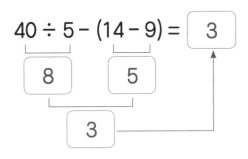

$40 \div 5 - (14 - 9) = $ 3

8   5

3

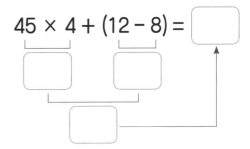

$45 \times 4 + (12 - 8) = $

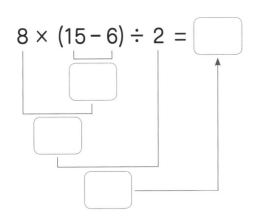

$8 \times (15 - 6) \div 2 = $

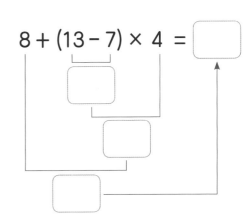

$8 + (13 - 7) \times 4 = $

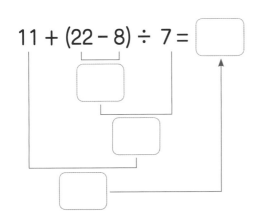

$11 + (22 - 8) \div 7 = $

$7 + 16 \div (9 - 5) = $

3 일 차 ( )가 2개 있는 식

 □ 안에 알맞은 수를 써넣어 차례로 계산하세요.

$(20 - 11) \times (18 + 2) =$ 180

9   20

180

$(18 + 17) \div (35 \div 5) =$ ☐

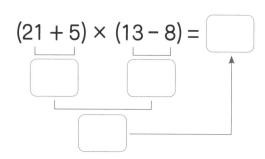

$(19 + 6) \div (8 - 3) =$ ☐

$(21 + 5) \times (13 - 8) =$ ☐

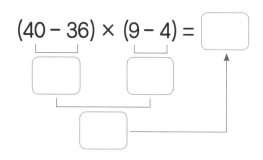

$(40 - 36) \times (9 - 4) =$ ☐

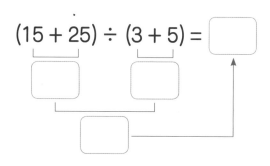

$(15 + 25) \div (3 + 5) =$ ☐

TIP
( )가 2개 있는 식은 ( ) 안을 각각 먼저 계산하고, 앞에서부터 차례로 계산합니다.

□ 안에 알맞은 수를 써넣어 차례로 계산하세요.

$(6 + 2) \times (42 \div 3) =$ ☐

$(13 - 9) \times (13 + 7) =$ ☐

$(20 - 6) \div (9 - 2) =$ ☐

$(25 - 4) \div (28 \div 4) =$ ☐

$(23 + 4) \times (15 - 8) =$ ☐

$(39 - 11) \div (3 + 4) =$ ☐

바른 계산 순서 나타내기

 다음 주어진 식의 바른 계산 순서를 나타내고, 알맞게 계산하세요.

$34 - 15 - (4 + 7)$

② ①
③

➡

$34 - 15 - (4 + 7) = 8$

19 11
8

$64 - (26 + 15)$

$64 - (26 + 15) =$

➡

$41 - (16 - 12) + 6$

$41 - (16 - 12) + 6 =$

➡

다음 주어진 식의 바른 계산 순서를 나타내고, 알맞게 계산하세요.

$(24 + 18) \div 7$ $(24 + 18) \div 7 =$

➡

$4 \times (30 - 8)$ $4 \times (30 - 8) =$

➡

$37 \times 5 + (13 - 6)$ $37 \times 5 + (13 - 6) =$

➡

 다음 주어진 식의 바른 계산 순서를 나타내고, 알맞게 계산하세요.

12 + (11 − 3) × 5   12 + (11 − 3) × 5 =

➡

(12 + 48) ÷ (9 − 4)   (12 + 48) ÷ (9 − 4) =

➡

(32 − 24) × (4 + 12)   (32 − 24) × (4 + 12) =

➡

문장제

 다음을 읽고 알맞은 식을 쓰고, 답을 구하세요.

> 연우가 활동하고 있는 야구 동호회는 남학생이 6명, 여학생이 2명입니다.
> 어느 날, 선생님께서 야구공 24개를 동호회 학생들에게 똑같이 나누어 주었습니다. 한 학생이 가지는 야구공은 몇 개일까요?

① 야구 동호회의 학생 수를 알아보는 식을 세워 보세요.

$$6 + \boxed{} = \boxed{} \; 명$$

② 한 학생에게 나누어 줄 수 있는 야구공의 수를 알아보는 식을 세워 보세요.

$$24 \div \boxed{} = \boxed{} \; 개$$

③ 한 학생이 가지는 야구공의 수를 알아보기 위하여 두 식을 하나의 식으로 만들어 보세요.

$$24 \div (6 + \boxed{}) = \boxed{} \; 개$$

 다음을 읽고 알맞은 식을 쓰고, 답을 구하세요.

미소네 가족이 딸기농장으로 여행을 갔습니다. 아빠는 42개, 엄마는 26개를 땄고, 미소는 엄마보다 7개를 적게 땄습니다. 아빠는 미소보다 딸기를 몇 개 더 많이 땄을까요?

식 : 42 - (26 - 7) = 23

 개

빨간색 접시 4개와 파란색 접시 3개가 있습니다. 이 접시에 어머니께서 사 오신 귤 35개를 똑같이 나누어 담았습니다. 접시 한 개에 담은 귤은 몇 개일까요?

식 :

 개

다음을 읽고 알맞은 식을 쓰고, 답을 구하세요.

은미네 아빠는 38살입니다. 엄마는 32살이고, 은미는 엄마보다 27살이 적습니다. 은미의 아빠는 은미보다 몇 살이 더 많을까요?

식 :

살

수정이네 반은 7명씩 6모둠입니다. 수정이네 반 학생들에게 210자루의 연필을 똑같이 나누어 준다면, 한 사람에게 몇 자루씩 나누어 줄 수 있을까요?

식 :

자루

영은이는 아빠가 주신 용돈 1500원으로 300원짜리 연필 1자루와 500원짜리 가위 1개를 샀습니다. 영은이가 연필과 가위를 사고 남은 돈은 얼마일까요?

식 :

원

 다음을 읽고 알맞은 식을 쓰고, 답을 구하세요.

흰 그릇이 5개, 파란 그릇이 3개 있습니다. 이 그릇에 자두 48개를 똑같이 나누어 담았습니다. 그릇 한 개에 담은 자두는 몇 개일까요?

식 :

◻ 개

제과점에서 빵을 만드는 데 하루에 25L짜리 우유 1통과 12L짜리 우유 1통을 사용합니다. 이 제과점에서 일주일 동안 필요한 우유의 양은 몇 L일까요?

식 :

◻ L

엄마가 주신 용돈 2100원으로 900원짜리 사과와 400원짜리 귤 2개를 샀습니다. 남은 용돈은 얼마입니까?

식 :

◻ 원

소마셈 C8 - 2주차

{ }가 있는 식

▶ 1일차 : { }가 있는 식   26

▶ 2일차 : 바른 계산 순서 나타내기   29

▶ 3일차 : 크기 비교   32

▶ 4일차 : 혼합 계산 퍼즐   34

▶ 5일차 : 문장제   36

{ }가 있는 식

 □ 안에 알맞은 수를 써넣어 차례로 계산하세요.

$$\{22 - 72 \div (6 + 3)\} \times 5 = \boxed{}$$

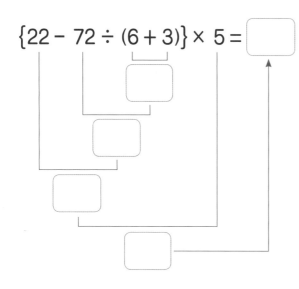

$$\{31 - (7 + 9) \div 2\} \times 3 = \boxed{}$$

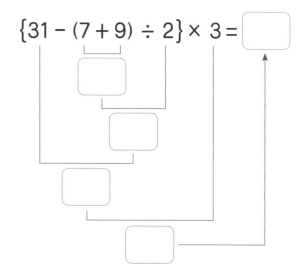

$$4 \times \{16 - (12 - 5)\} \div 3 = \boxed{}$$

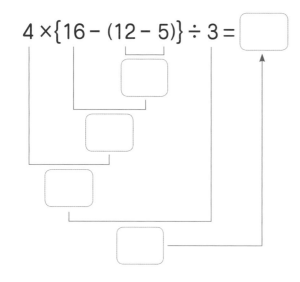

$$3 \times \{(14 + 5) - 7\} \div 2 = \boxed{}$$

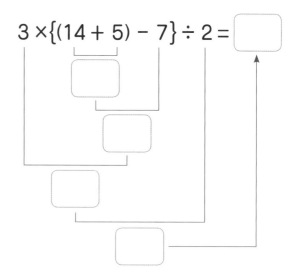

 TIP

식에 쓰이는 괄호에는 ( ), { }가 있습니다. ( ), { }가 있는 식은 ( ) 안을 먼저 계산한 후, 다음에 { } 안을 계산합니다.

□ 안에 알맞은 수를 써넣어 차례로 계산하세요.

$67 - \{8 \times (10 - 4) + 5\} =$ ⬜

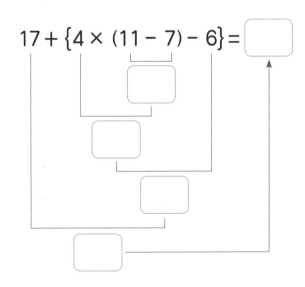

$45 - \{(13 - 6) \times 2 + 18\} =$ ⬜

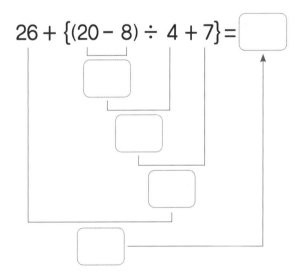

$17 + \{4 \times (11 - 7) - 6\} =$ ⬜

$26 + \{(20 - 8) \div 4 + 7\} =$ ⬜

TIP

{ }가 있는 식에서는 ( ) → { } → ×, ÷ → +, −의 계산 순서에 맞게 계산합니다.

 □ 안에 알맞은 수를 써넣어 차례로 계산하세요.

$\{64 \div 4 - (8 - 5)\} \times 3 = \boxed{}$

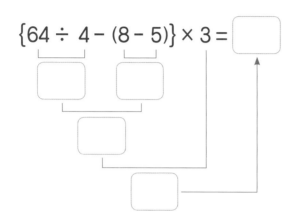

$\{51 \div 3 - (7 + 7)\} \times 2 = \boxed{}$

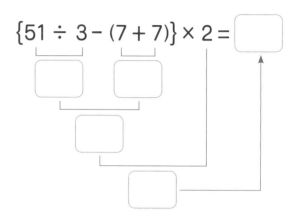

$\{18 \times 2 - (11 - 9)\} \div 2 = \boxed{}$

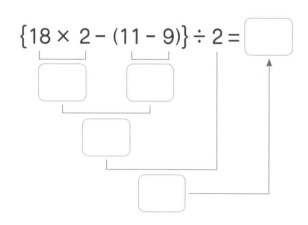

$\{13 \times 4 - (7 + 9)\} \div 4 = \boxed{}$

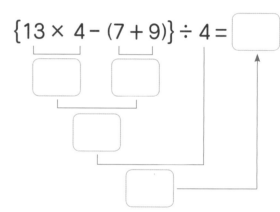

$14 \times \{60 \div 5 - (13 - 7)\} = \boxed{}$

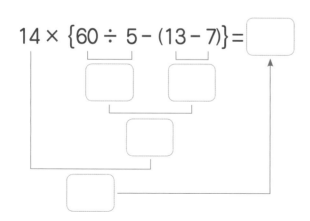

$72 \div \{7 \times 7 - (43 + 3)\} = \boxed{}$

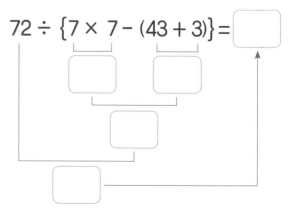

바른 계산 순서 나타내기

 다음 주어진 식의 바른 계산 순서를 나타내고, 알맞게 계산하세요.

$\{60 \div 4 - (7 - 3)\} \times 6$

② ① ③ ④

➡

$\{60 \div 4 - (7 - 3)\} \times 6 = 66$

15   4

11

66

$7 \times \{24 - (16 - 4)\} \div 3$

$7 \times \{24 - (16 - 4)\} \div 3 =$

➡

$\{32 - (8 + 6) \div 2\} \times 2$

$\{32 - (8 + 6) \div 2\} \times 2 =$

➡

🌱 다음 주어진 식의 바른 계산 순서를 나타내고, 알맞게 계산하세요.

$\{16 \times 3 - (4 + 9)\} \div 5$ $\{16 \times 3 - (4 + 9)\} \div 5 =$

➡

$8 \times \{4 \times (14 - 6) - 7\}$ $8 \times \{4 \times (14 - 6) - 7\} =$

➡

$\{47 - 32 \div (4 + 4)\} \times 3$ $\{47 - 32 \div (4 + 4)\} \times 3 =$

➡

다음 주어진 식의 바른 계산 순서를 나타내고, 알맞게 계산하세요.

$18 + \{(30 - 15) \div 3 + 7\}$ $18 + \{(30 - 15) \div 3 + 7\} =$

➡

$\{50 - (3 + 5) \times 4\} \div 2$ $\{50 - (3 + 5) \times 4\} \div 2 =$

➡

$\{(6 + 14) \div 4 - 2\} \times 7$ $\{(6 + 14) \div 4 - 2\} \times 7 =$

➡

크기 비교

 다음을 계산하고, 계산 결과의 크기를 비교하여 ○ 안에 >, =, <를 알맞게 써넣으세요.

$\{25 - 49 \div (2 + 5)\} \times 3 = \boxed{54}$

7

7

18

54

$\{56 \div 7 - (12 - 6)\} \times 6 = \boxed{12}$

8   6

2

12

$>$

$8 \times \{16 - (15 - 6)\} \div 4 = \boxed{}$

$\{64 \div 2 - (7 + 3)\} \times 4 = \boxed{}$

○

$\{14 \times 7 - (7 + 9)\} \div 2 = \boxed{}$

$3 \times \{(22 + 6) - 9\} \div 3 = \boxed{}$

○

다음을 계산하고, 계산 결과의 크기를 비교하여 ○ 안에 >, =, <를 알맞게 써넣으세요.

$\{72 \div 6 - (8-6)\} \times 9 = \boxed{}$ $7 \times \{81 \div 3 - (16-8)\} = \boxed{}$

○

$\{95 \div 5 - (9-5)\} \times 3 = \boxed{}$ $\{21 - 72 \div (2+4)\} \times 5 = \boxed{}$

○

$31 - \{26 - (34-8) \div 2\} = \boxed{}$ $18 + \{14 + (17-9) \div 4\} = \boxed{}$

○

혼합 계산 퍼즐

 계산 결과가 같은 것끼리 선으로 이어 보세요.

$\{20 - (4 + 6) \div 5\} \times 3 =$ ⟨54⟩

$55 - \{4 \times (9 - 4) + 6\} =$ ☐

• 29

• 35

• 54

$9 \times \{17 - (8 - 5)\} \div 7 =$ ☐

$28 + \{(18 - 9) \div 3 + 6\} =$ ☐

• 18

• 24

• 37

$\{48 \div 3 - (7 - 2)\} \times 2 =$ ☐

$\{56 \div 7 - (2 + 4)\} \times 8 =$ ☐

• 16

• 22

• 32

 계산 결과로 알맞은 것을 찾아 ○표 하세요.

$4 \times \{84 \div 7 + (16 - 7)\} = \boxed{84}$ ——— 49 52 ⭕84

15 30 48 ——— $6 \times \{18 - (14 - 6)\} \div 4 = \boxed{}$

$\{72 \div 3 - (24 - 5)\} \times 9 = \boxed{}$ ——— 36 45 54

50 60 70 ——— $\{41 - (18 + 6) \div 4\} \times 2 = \boxed{}$

$53 + \{(33 - 8) \div 5 + 6\} = \boxed{}$ ——— 64 72 83

문장제

 다음을 읽고 알맞은 식을 쓰고, 답을 구하세요.

> 사탕이 45개 있습니다. 여학생 3명과 남학생 5명으로 이루어진 모둠에 선생님 께서 한 사람당 사탕을 한 개씩 모두 네 모둠에 나누어 주고, 사탕 3개를 가 지셨습니다. 남은 사탕은 몇 개일까요?

① 한 모둠에 있는 학생 수를 알아보는 식을 세워 보세요.

$$3 + \boxed{} = \boxed{} \text{ 명}$$

② 선생님께서 네 모둠에 나누어준 사탕의 개수를 알아보는 식을 세워 보세요.

$$\boxed{} \times 4 = \boxed{} \text{ 개}$$

③ 선생님께서 네 모둠에 사탕을 나누어 주고 3개를 가졌을 때, 필요한 사탕의 개수를 알아보는 식을 세워보세요.

$$\boxed{} + 3 = \boxed{} \text{ 개}$$

④ 사탕 45개에서 선생님께서 네 모둠에 사탕을 나누어 주고 3개를 가졌을 때, 남은 사탕의 개수를 알아보는 식을 세워보세요.

$$45 - \boxed{} = \boxed{} \text{ 개}$$

⑤ 남은 사탕의 개수를 알아보기 위하여 네 식을 하나의 식으로 만들어 보세요.

$$45 - \{(3 + \boxed{}) \times 4 + \boxed{}\} = \boxed{} \text{ 개}$$

다음을 읽고 알맞은 식을 쓰고, 답을 구하세요.

주머니에 구슬이 60개 들어 있습니다. 이 구슬을 남학생 4명과 여학생 6명이 3개씩 가진 후, 남은 구슬을 2봉지에 똑같이 나누어 담았습니다. 한 봉지에 담긴 구슬은 몇 개일까요?

식 : {60 - (4 + 6) × 3} ÷ 2 = 15

 개

땅콩이 38개 있습니다. 여학생 5명과 남학생 2명으로 이루어진 모둠에 선생님께서 한 사람당 땅콩을 한 개씩 모두 네 모둠에 나누어 주고, 땅콩 2개를 가지셨습니다. 남은 땅콩은 몇 개일까요?

식 :

 개

 다음을 읽고 알맞은 식을 쓰고, 답을 구하세요.

상자에 사탕이 44개 들어 있습니다. 이 사탕을 남학생 2명과 여학생 2명이 5개씩 먹은 후, 남은 사탕을 2접시에 똑같이 나누어 담았습니다. 한 접시에 담긴 사탕은 몇 개일까요?

식 : _____

□ 개

영희는 빨간 구슬 9개와 노란 구슬 13개를 가지고 있고, 철수는 영희가 가진 구슬의 2배보다 4개 더 적게 가지고 있습니다. 철수가 가지고 있는 구슬을 한 사람에게 5개씩 나누어 준다면, 몇 명에게 줄 수 있을까요?

식 : _____

□ 명

정현이는 문방구에서 400원짜리 공책 1권과 300원짜리 지우개 1개가 들어 있는 문구 세트를 2개 사고, 200원짜리 연필 1자루를 샀습니다. 2000원을 냈다면 거스름돈은 얼마를 받아야 할까요?

식 : _____

□ 원

 다음을 읽고 알맞은 식을 쓰고, 답을 구하세요.

희수는 파란 구슬 5개와 노란 구슬 8개를 가지고 있고, 민주는 희수가 가진 구슬의 3배보다 5개 더 많게 가지고 있습니다. 민주가 가지고 있는 구슬을 한 사람에게 4개씩 나누어 준다면, 몇 명에게 나누어 줄 수 있을까요?

식 : _____   ☐ 명

상자에 귤이 36개 있습니다. 이 귤을 남학생 3명과 여학생 2명이 4개씩 가진 후, 남은 귤을 2상자에 똑같이 나누어 담았습니다. 한 상자에 담긴 귤은 몇 개일까요?

식 : _____   ☐ 개

태주는 과일 가게에서 700원짜리 사과 1개와 500원짜리 감 1개가 들어 있는 과일 바구니를 3개 사고, 300원짜리 귤 1개를 샀습니다. 4000원을 냈다면 거스름돈은 얼마를 받아야 할까요?

식 : _____   ☐ 원

소마셈 C8 - 3주차

혼합 계산식의 활용 (1)

▶ 1일차 : ☐ 구하기 (1)　　　　　　　　　42

▶ 2일차 : ☐ 구하기 (2)　　　　　　　　　46

▶ 3일차 : 괄호 넣어 식 만들기　　　　　　50

▶ 4일차 : 연산 기호 넣어 식 만들기 (1)　　52

▶ 5일차 : 연산 기호 넣어 식 만들기 (2)　　54

□ 구하기 （1）

 빈칸에 알맞은 수를 써넣어 ★이 나타내는 수를 구하세요.

$$54 \div 6 - ★ = 3 \quad\Rightarrow\quad \boxed{9} - ★ = 3$$

①
②

$$★ = \boxed{6}$$

$$56 \div 8 - ★ = 2$$

↓

$$\boxed{} - ★ = 2$$

$$★ = \boxed{}$$

$$28 \times 3 - ★ = 41$$

↓

$$\boxed{} - ★ = 41$$

$$★ = \boxed{}$$

$$48 \div 4 + ★ = 23$$

↓

$$\boxed{} + ★ = 23$$

$$★ = \boxed{}$$

$$7 \times 9 \div ★ = 3$$

↓

$$\boxed{} \div ★ = 3$$

$$★ = \boxed{}$$

TIP

주어진 혼합 계산식의 계산 순서를 알아봅니다. 계산할 수 있는 식을 먼저 계산하고, 계산 순서를 거꾸로 생각하여 □를 구합니다.

빈칸에 알맞은 수를 써넣어 ★이 나타내는 수를 구하세요.

23 × 7 − ★ = 113

↓

☐ − ★ = 113

★ = ☐

92 ÷ 4 − ★ = 16

↓

☐ − ★ = 16

★ = ☐

78 ÷ 6 + ★ = 43

↓

☐ + ★ = 43

★ = ☐

36 × 3 − ★ = 53

↓

☐ − ★ = 53

★ = ☐

70 ÷ 2 + ★ = 54

↓

☐ + ★ = 54

★ = ☐

12 × 6 ÷ ★ = 24

↓

☐ ÷ ★ = 24

★ = ☐

 빈칸에 알맞은 수를 써넣어 ♥가 나타내는 수를 구하세요.

♥ + 5 × 7 − 20 = 63   ➡   ♥ + $\boxed{35}$ − 20 = 63

① ② ③

♥ + 35 = $\boxed{83}$

♥ = $\boxed{48}$

♥ − 6 × 2 + 15 = 54   ➡   ♥ − $\boxed{}$ + 15 = 54

♥ − 12 = $\boxed{}$

♥ = $\boxed{}$

♥ + 40 ÷ 5 + 26 = 67   ➡   ♥ + $\boxed{}$ + 26 = 67

♥ + 8 = $\boxed{}$

♥ = $\boxed{}$

♥ + 3 × 8 − 13 = 29   ➡   ♥ + $\boxed{}$ − 13 = 29

♥ + 24 = $\boxed{}$

♥ = $\boxed{}$

 빈칸에 알맞은 수를 써넣어 ♥가 나타내는 수를 구하세요.

♥ + 27 ÷ 3 + 33 = 52 ➡ ♥ + ☐ + 33 = 52

♥ + 9 = ☐

♥ = ☐

♥ + 8 × 5 − 16 = 74 ➡ ♥ + ☐ − 16 = 74

♥ + 40 = ☐

♥ = ☐

♥ + 4 × 15 − 46 = 22 ➡ ♥ + ☐ − 46 = 22

♥ + 60 = ☐

♥ = ☐

♥ − 17 × 2 + 15 = 23 ➡ ♥ − ☐ + 15 = 23

♥ − 34 = ☐

♥ = ☐

□ 구하기 （2）

 빈칸에 알맞은 수를 써넣어 ◆가 나타내는 수를 구하세요.

16 + ◆ × 5 - 12 = 19 ➡ 16 + ◆ × 5 = [31]

①
②
③

◆ × 5 = [15]

◆ = [3]

24 + ◆ × 4 - 9 = 43 ➡ 24 + ◆ × 4 = [　]

◆ × 4 = [　]

◆ = [　]

34 + ◆ ÷ 2 - 14 = 24 ➡ 34 + ◆ ÷ 2 = [　]

◆ ÷ 2 = [　]

◆ = [　]

12 + ◆ × 8 - 21 = 31 ➡ 12 + ◆ × 8 = [　]

◆ × 8 = [　]

◆ = [　]

빈칸에 알맞은 수를 써넣어 ◆가 나타내는 수를 구하세요.

$18 + \blacklozenge \div 3 - 5 = 20$ ➡ $18 + \blacklozenge \div 3 = \boxed{}$

$\blacklozenge \div 3 = \boxed{}$

$\blacklozenge = \boxed{}$

$24 + \blacklozenge \times 7 - 34 = 32$ ➡ $24 + \blacklozenge \times 7 = \boxed{}$

$\blacklozenge \times 7 = \boxed{}$

$\blacklozenge = \boxed{}$

$31 + \blacklozenge \div 5 + 16 = 57$ ➡ $31 + \blacklozenge \div 5 = \boxed{}$

$\blacklozenge \div 5 = \boxed{}$

$\blacklozenge = \boxed{}$

$15 + \blacklozenge \times 6 - 11 = 52$ ➡ $15 + \blacklozenge \times 6 = \boxed{}$

$\blacklozenge \times 6 = \boxed{}$

$\blacklozenge = \boxed{}$

 빈칸에 알맞은 수를 써넣어 ♣가 나타내는 수를 구하세요.

$40 \div 8 + 56 \div ♣ = 12$ ➡ $\boxed{5} + 56 \div ♣ = 12$

① ②

③

$56 \div ♣ = \boxed{7}$

$♣ = \boxed{8}$

$7 \times 6 + 24 \div ♣ = 50$ ➡ $\boxed{} + 24 \div ♣ = 50$

$24 \div ♣ = \boxed{}$

$♣ = \boxed{}$

$96 \div 4 + 5 \times ♣ = 59$ ➡ $\boxed{} + 5 \times ♣ = 59$

$5 \times ♣ = \boxed{}$

$♣ = \boxed{}$

$3 \times 14 + 2 \times ♣ = 66$ ➡ $\boxed{} + 2 \times ♣ = 66$

$2 \times ♣ = \boxed{}$

$♣ = \boxed{}$

빈칸에 알맞은 수를 써넣어 ♣가 나타내는 수를 구하세요.

$54 ÷ 6 + 60 ÷ ♣ = 19$ ➡ $\boxed{} + 60 ÷ ♣ = 19$

$60 ÷ ♣ = \boxed{}$

$♣ = \boxed{}$

$3 × 21 + 28 ÷ ♣ = 70$ ➡ $\boxed{} + 28 ÷ ♣ = 70$

$28 ÷ ♣ = \boxed{}$

$♣ = \boxed{}$

$49 ÷ 7 + 5 × ♣ = 72$ ➡ $\boxed{} + 5 × ♣ = 72$

$5 × ♣ = \boxed{}$

$♣ = \boxed{}$

$14 × 3 + 6 × ♣ = 84$ ➡ $\boxed{} + 6 × ♣ = 84$

$6 × ♣ = \boxed{}$

$♣ = \boxed{}$

괄호 넣어 식 만들기

 등식이 성립하도록 알맞은 곳에 ( ) 표시를 하세요.

$$(37 - 13) \div 4 + 3 = 9$$

$$29 - 6 + 4 - 3 = 16$$

$$27 \div 9 \times 5 + 12 = 51$$

$$40 \div 5 + 3 - 2 = 3$$

$$13 + 4 \times 9 + 16 = 113$$

TIP
( )를 사용하여 만들 수 있는 여러 개의 식을 만들어 보고, 계산하여 식이 성립하는 경우를 찾습니다. 이때, × 또는 ÷는 ( )로 묶어도 계산 순서가 바뀌지 않으므로 + 또는 −를 ( )로 묶어 봅니다.

등식이 성립하도록 알맞은 곳에 ( ) 표시를 하세요.

$(12 - 6 + 5) \times 7 = 77$

$42 - 18 \div 3 + 27 = 35$

$72 \div 4 + 8 - 3 = 8$

$24 \div 6 + 2 \times 9 - 7 = 20$

$7 + 6 \times 38 - 8 \div 2 = 97$

$7 \times 15 - 7 + 2 \div 2 = 35$

연산 기호 넣어 식 만들기 (1)

 서로 다른 방법으로 등식이 성립하도록 수 사이에 +, −, ×, ÷ 중 알맞은 기호를 써 넣으세요.

2 × 2 − 2 = 2   2   2   2 = 2

2   2   2 = 2   2   2   2 = 2

3   3   3 = 3   3   3   3 = 3

3   3   3 = 3   3   3   3 = 3

4   2   1 = 1   4   2   1 = 3

4   2   1 = 5   4   2   1 = 7

4   2   1 = 9

월
일

 등식이 성립하도록 수 사이에 +, −, ×, ÷, ( ) 중 알맞은 기호를 써넣으세요.

$3 - (2 + 1) = 0$　　　　$3 \quad 2 \quad 1 = 1$

$3 \quad 2 \quad 1 = 2$　　　　$3 \quad 2 \quad 1 = 3$

$3 \quad 2 \quad 1 = 4$　　　　$3 \quad 2 \quad 1 = 5$

$3 ÷ 3 + 3 - 3 = 1$　　　$3 \quad 3 \quad 3 \quad 3 = 2$

$3 \quad 3 \quad 3 \quad 3 = 3$　　　$3 \quad 3 \quad 3 \quad 3 = 4$

$3 \quad 3 \quad 3 \quad 3 = 5$　　　$3 \quad 3 \quad 3 \quad 3 = 6$

$3 \quad 3 \quad 3 \quad 3 = 7$　　　$3 \quad 3 \quad 3 \quad 3 = 8$

$3 \quad 3 \quad 3 \quad 3 = 9$

연산 기호 넣어 식 만들기 (2)

 등식이 성립하도록 ○ 안에 +, −, ×, ÷ 중 알맞은 기호를 써넣으세요.

$$3 \times 3 - 12 \div 4 = 6$$

$$7 \times 2 \bigcirc 15 \bigcirc 3 = 19$$

$$2 \bigcirc 7 \bigcirc 8 + 6 = 64$$

$$50 \bigcirc 2 - 40 \bigcirc 5 = 17$$

$$8 + 25 \bigcirc 54 \bigcirc 9 = 27$$

$$4 \bigcirc 5 \bigcirc 28 \div 7 = 24$$

등식이 성립하도록 ○ 안에 +, −, ×, ÷ 중 알맞은 기호를 써넣으세요.

6 ÷ 3 × (12 + 4) = 32

8 × 7 − (17 − 8) = 47

15 − (23 + 5) ÷ 4 = 8

63 ÷ (13 − 6) × 2 = 18

9 × 6 ÷ (34 − 32) = 27

TIP

( )는 계산 순서를 바꿀 수 있습니다. 따라서 ( ) 안에 들어가는 연산 기호로 ×, ÷를 넣기 보다는 +, −를 넣어 보는 것이 좋습니다.

소마셈 C8 – 4주차

혼합 계산식의 활용(2)

▶ 1일차 : 약속   58

▶ 2일차 : 목표수 만들기   60

▶ 3일차 : 가장 큰 수 만들기   62

▶ 4일차 : 가장 작은 수 만들기   64

▶ 5일차 : □가 있는 식 만들기   66

약속

 다음 도형이 나타내는 규칙에 맞게 계산해 보세요.

규칙   ㉠ ◎ ㉡ = { ㉡ − ㉠ ÷ (㉡ + 2) } × 5

16 ◎ 6 = {6 − 16 ÷ (6 + 2)} × 5

$\quad\quad\quad$ = (6 − 16 ÷ 8) × 5

$\quad\quad\quad$ = (6 − 2) × 5

$\quad\quad\quad$ = 4 × 5 = 20

50 ◎ 8 =

규칙   ㉠ ★ ㉡ = ㉠ − { (㉡ − 3) + 2 × ㉡ }

33 ★ 9 =

48 ★ 16 =

다음 도형이 나타내는 규칙에 맞게 계산해 보세요.

규칙   ㉠ ▣ ㉡ = ㉠ × { ㉠ − (㉠ − ㉡) ÷ ㉡ }

8 ▣ 2 =

12 ▣ 3 =

규칙   ㉠ ♥ ㉡ = { ㉠ × ㉡ − (㉡ + ㉡) } ÷ ㉡

15 ♥ 4 =

21 ♥ 3 =

목표수 만들기

 수 카드를 한 번씩 사용하여 목표수를 만들려고 합니다. 빈칸에 알맞은 수를 써넣으세요.

| 3 | 18 | 23 |

$23 + 3 \times 18 = 77$

| 7 | 8 | 69 |

$\boxed{} - \boxed{} \times 7 = 13$

| 3 | 5 | 45 |

$\boxed{} + \boxed{} \div \boxed{} = 12$

| 5 | 7 | 15 |

$7 \times \boxed{} \div \boxed{} = 21$

| 6 | 12 | 27 |

$\boxed{} + 6 \times \boxed{} = 99$

| 5 | 8 | 56 |

$\boxed{} + \boxed{} \div \boxed{} = 12$

수 카드를 한 번씩 사용하여 목표수를 만들려고 합니다. 빈칸에 알맞은 수를 써넣으세요.

| 2 | 4 | 8 | 15 |

$8 + 4 \times 15 - 2 = 66$

| 3 | 6 | 18 | 19 |

$\boxed{} - \boxed{} + 6 \times \boxed{} = 19$

| 5 | 8 | 12 | 30 |

$\boxed{} + \boxed{} \div \boxed{} - \boxed{} = 10$

| 2 | 7 | 13 | 49 |

$\boxed{} + \boxed{} \div \boxed{} \times \boxed{} = 27$

| 6 | 9 | 13 | 81 |

$\boxed{} - \boxed{} + \boxed{} \div \boxed{} = 16$

| 3 | 5 | 24 | 58 |

$\boxed{} - \boxed{} \div \boxed{} \times \boxed{} = 18$

3 일 차 가장 큰 수 만들기

 수 카드를 한 번씩 사용하여 답이 가장 크게 되는 식을 만들려고 합니다. 빈칸에 알맞은 수를 써넣으세요.

| 4 | 5 | 40 | $40 \div 4 \times 5 = 50$ |

| 6 | 9 | 54 | $\boxed{} \div \boxed{} \times \boxed{} = \boxed{}$ |

| 3 | 7 | 42 | $\boxed{} + \boxed{} \div \boxed{} = \boxed{}$ |

| 2 | 7 | 28 | $\boxed{} \div \boxed{} \times \boxed{} = \boxed{}$ |

| 3 | 8 | 72 | $\boxed{} + \boxed{} \div \boxed{} = \boxed{}$ |

 TIP

가장 먼저 계산해야 하는 식을 찾아 가능한 방법을 찾아봅니다. 그 중 계산 결과가 가장 크게 나오도록 수를 써 넣어 식을 완성합니다. (이때, 곱하거나 더하는 수는 크게, 나누거나 빼는 수는 작게 합니다.)

수 카드를 한 번씩 사용하여 답이 가장 크게 되는 식을 만들려고 합니다. 빈칸에 알맞은
수를 써넣으세요.

| 2 | 5 | 7 | 14 |

$$14 \div 2 \times 7 - 5 = 44$$

| 3 | 8 | 15 | 17 |

$$\boxed{} + \boxed{} \div \boxed{} - \boxed{} = \boxed{}$$

| 4 | 9 | 14 | 32 |

$$\boxed{} + \boxed{} \div \boxed{} - \boxed{} = \boxed{}$$

| 3 | 5 | 8 | 24 |

$$\boxed{} \div \boxed{} \times \boxed{} - \boxed{} = \boxed{}$$

| 4 | 6 | 28 | 41 |

$$\boxed{} - \boxed{} + \boxed{} \div \boxed{} = \boxed{}$$

| 5 | 7 | 18 | 49 |

$$\boxed{} - \boxed{} + \boxed{} \div \boxed{} = \boxed{}$$

가장 작은 수 만들기

 수 카드를 한 번씩 사용하여 답이 가장 작게 되는 식을 만들려고 합니다. 빈칸에 알맞은 수를 써넣으세요.

| 4 | 6 | 36 |

 36 ÷ 6 × 4 = 24

| 4 | 8 | 40 |

☐ ÷ ☐ × ☐ = ☐

| 2 | 4 | 32 |

☐ ÷ ☐ × ☐ = ☐

| 3 | 6 | 72 |

☐ + ☐ ÷ ☐ = ☐

| 2 | 6 | 36 |

☐ ÷ ☐ × ☐ = ☐

 TIP

가장 먼저 계산해야 하는 식을 찾아 가능한 방법을 찾아봅니다. 그 중 계산 결과가 가장 작게 나오도록 수를 써 넣어 식을 완성합니다. (이때, 곱하거나 더하는 수는 작게, 나누거나 빼는 수는 크게 합니다.)

수 카드를 한 번씩 사용하여 답이 가장 작게 되는 식을 만들려고 합니다. 빈칸에 알맞은 수를 써넣으세요.

| 2 | 3 | 7 | 14 |

$14 \div 7 \times 2 - 3 = 1$

| 3 | 5 | 11 | 27 |

$\boxed{} + \boxed{} \div \boxed{} - \boxed{} = \boxed{}$

| 4 | 7 | 10 | 49 |

$\boxed{} + \boxed{} \div \boxed{} - \boxed{} = \boxed{}$

| 5 | 7 | 9 | 30 |

$\boxed{} \div \boxed{} \times \boxed{} - \boxed{} = \boxed{}$

| 4 | 5 | 19 | 20 |

$\boxed{} \div \boxed{} \times \boxed{} + \boxed{} = \boxed{}$

| 3 | 4 | 7 | 21 |

$\boxed{} \div \boxed{} \times \boxed{} - \boxed{} = \boxed{}$

□가 있는 식 만들기

 다음을 읽고 □를 사용하여 식을 만들고, 바르게 계산한 값을 구하세요.

어떤 수를 2로 나누고 7을 곱해야 할 것을 잘못하여 어떤 수에 3을 곱하고 6으로 나누었더니 21이 되었습니다. 바르게 계산하면 얼마일까요?

잘못된 계산	바른 계산
$\square \times 3 \div 6 = 21$, $\square \times 3 = 21 \times 6$, $\square \times 3 = 126$, $\square = 126 \div 3 = 42$	$42 \div 2 \times 7 = 147$

어떤 수를 6으로 나누고 12를 곱해야 할 것을 잘못하여 어떤 수에 4를 곱하고 9로 나누었더니 16이 되었습니다. 바르게 계산하면 얼마일까요?

잘못된 계산	바른 계산

TIP

어떤 수를 □로 놓고 식을 만듭니다. 잘못 계산한 식의 순서를 거꾸로 생각하여 어떤 수를 먼저 구하고 바르게 계산합니다.

다음을 읽고 □를 사용하여 식을 만들고, 바르게 계산한 값을 구하세요.

어떤 수에 4를 곱하고 6으로 나누어야 할 것을 잘못하여 어떤 수를 9로 나누고 8을 곱하였더니 24가 되었습니다. 바르게 계산하면 얼마일까요?

잘못된 계산	바른 계산

어떤 수에 7을 곱하고 3으로 나누어야 할 것을 잘못하여 어떤 수를 3으로 나누고 2를 곱하였더니 34가 되었습니다. 바르게 계산하면 얼마일까요?

잘못된 계산	바른 계산

 다음을 읽고 □를 사용하여 식을 만들고, 바르게 계산한 값을 구하세요.

어떤 수를 2로 나누고 13을 곱해야 할 것을 잘못하여 어떤 수에 5를 곱하고 2로 나누었더니 65가 되었습니다. 바르게 계산하면 얼마일까요?

잘못된 계산	바른 계산

어떤 수에 8을 곱하고 4로 나누어야 할 것을 잘못하여 어떤 수를 3으로 나누고 7을 곱하였더니 42가 되었습니다. 바르게 계산하면 얼마일까요?

잘못된 계산	바른 계산

다음을 읽고 □를 사용하여 식을 만들고, 바르게 계산한 값을 구하세요.

어떤 수에 4를 곱하고 8로 나누어야 할 것을 잘못하여 어떤 수를 4로 나누고 5를 곱하였더니 80이 되었습니다. 바르게 계산하면 얼마일까요?

잘못된 계산	바른 계산

어떤 수를 2로 나누고 6을 곱해야 할 것을 잘못하여 어떤 수에 3을 곱하고 4로 나누었더니 39가 되었습니다. 바르게 계산하면 얼마일까요?

잘못된 계산	바른 계산

Drill

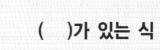

( )가 있는 식

빈칸에 알맞은 수를 써넣으세요.

53 − (18 + 27) = ☐

61 − (35 − 16) = ☐

48 ÷ (22 − 14) = ☐

(16 + 5) × 4 = ☐

44 − (13 + 7) − 13 = ☐

26 + (43 − 8) ÷ 7 = ☐

빈칸에 알맞은 수를 써넣으세요.

9 × (13 − 8) ÷ 3 = ☐

10 + (24 − 6) × 4 = ☐

17 × 4 + (12 − 5) = ☐

(34 − 6) ÷ (9 − 5) = ☐

(24 + 4) × (14 − 9) = ☐

(51 − 23) ÷ (4 + 3) = ☐

빈칸에 알맞은 수를 써넣으세요.

56 − (16 + 5) = $\boxed{35}$

21

35

47 − (31 − 19) = $\boxed{}$

33 − (17 + 6) = $\boxed{}$

63 − (39 + 14) = $\boxed{}$

42 − 13 − (5 + 8) = $\boxed{}$

35 − (18 − 13) + 6 = $\boxed{}$

32 − (12 − 9) + 17 = $\boxed{}$

54 − 26 − (3 + 7) = $\boxed{}$

빈칸에 알맞은 수를 써넣으세요.

$(33 + 19) \div 4 = \boxed{}$

$7 \times (17 - 8) = \boxed{}$

$(43 - 26) \times 6 = \boxed{}$

$72 \div (2 + 6) = \boxed{}$

$8 + 42 \div (12 - 5) = \boxed{}$

$16 + (13 - 7) \times 5 = \boxed{}$

$(72 - 12) \div (2 + 3) = \boxed{}$

$(4 + 4) \times (42 \div 3) = \boxed{}$

빈칸에 알맞은 수를 써넣으세요.

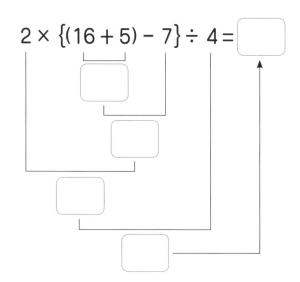

$2 \times \{(16 + 5) - 7\} \div 4 =$ ☐

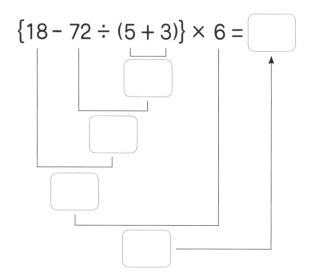

$\{18 - 72 \div (5 + 3)\} \times 6 =$ ☐

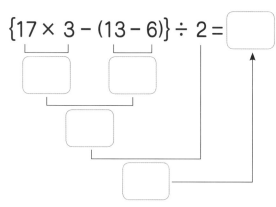

$\{17 \times 3 - (13 - 6)\} \div 2 =$ ☐

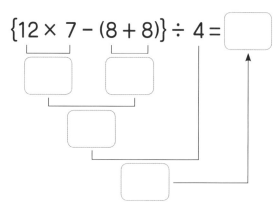

$\{12 \times 7 - (8 + 8)\} \div 4 =$ ☐

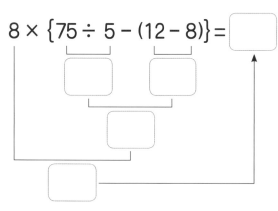

$8 \times \{75 \div 5 - (12 - 8)\} =$ ☐

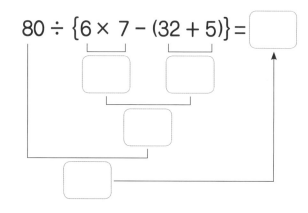

$80 \div \{6 \times 7 - (32 + 5)\} =$ ☐

빈칸에 알맞은 수를 써넣으세요.

$72 - \{7 \times (11 - 4) + 6\} = \boxed{}$

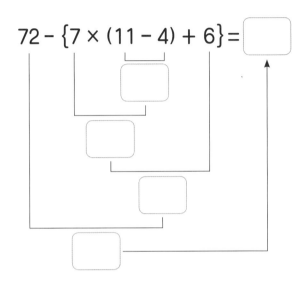

$35 + \{(22 - 8) \div 7 + 9\} = \boxed{}$

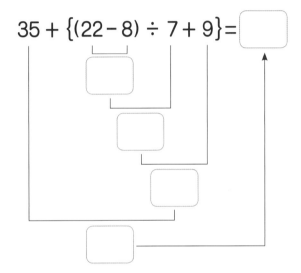

$\{54 \div 2 - (7 + 9)\} \times 6 = \boxed{}$

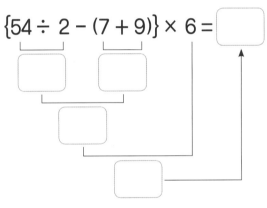

$\{84 \div 7 - (7 - 5)\} \times 4 = \boxed{}$

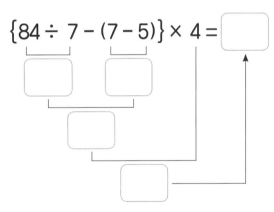

$\{15 \times 4 - (3 + 9)\} \div 8 = \boxed{}$

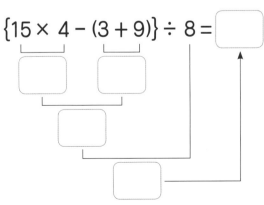

$\{3 \times 18 - (21 - 5)\} \div 2 = \boxed{}$

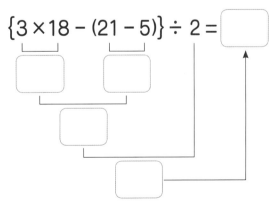

빈칸에 알맞은 수를 써넣으세요.

$\{23 - 42 \div (4 + 3)\} \times 4 = \boxed{}$

$\{48 \div 8 - (13 - 9)\} \times 9 = \boxed{}$

$\{21 - (6 + 6) \div 3\} \times 5 = \boxed{}$

$\{62 \div 2 - (4 + 3)\} \times 2 = \boxed{}$

$9 \times \{56 \div 4 - (11 - 6)\} = \boxed{}$

$57 - \{(22 - 16) \times 2 + 17\} = \boxed{}$

빈칸에 알맞은 수를 써넣으세요.

$4 \times \{(16+7)-5\} \div 8 = \boxed{}$

$4 \times \{24-(12-8)\} \div 2 = \boxed{}$

$\{12 \times 6 - (32-9)\} \div 7 = \boxed{}$

$38 + \{(30-8) \div 2 + 6\} = \boxed{}$

$29 + \{(14-6) \div 4 + 6\} = \boxed{}$

$96 \div \{17 \times 2 - (23+8)\} = \boxed{}$

혼합 계산식의 활용 (1)

빈칸에 알맞은 수를 써넣어 ★이 나타내는 수를 구하세요.

$40 \div 5 - ★ = 3$

⬇

$\boxed{} - ★ = 3$

$★ = \boxed{}$

$17 \times 3 - ★ = 36$

⬇

$\boxed{} - ★ = 36$

$★ = \boxed{}$

$24 \times 5 - ★ = 102$

⬇

$\boxed{} - ★ = 102$

$★ = \boxed{}$

$75 \div 3 - ★ = 12$

⬇

$\boxed{} - ★ = 12$

$★ = \boxed{}$

$68 \div 2 + ★ = 52$

⬇

$\boxed{} + ★ = 52$

$★ = \boxed{}$

$4 \times 19 \div ★ = 38$

⬇

$\boxed{} \div ★ = 38$

$★ = \boxed{}$

빈칸에 알맞은 수를 써넣어 ★이 나타내는 수를 구하세요.

$\bigstar - 3 \times 6 + 17 = 24$ ➡ $\bigstar - \boxed{} + 17 = 24$

$\bigstar - 18 = \boxed{}$

$\bigstar = \boxed{}$

$\bigstar + 45 \div 5 + 27 = 53$ ➡ $\bigstar + \boxed{} + 27 = 53$

$\bigstar + 9 = \boxed{}$

$\bigstar = \boxed{}$

$\bigstar + 2 \times 18 - 26 = 23$ ➡ $\bigstar + \boxed{} - 26 = 23$

$\bigstar + 36 = \boxed{}$

$\bigstar = \boxed{}$

$\bigstar - 14 \times 4 + 15 = 19$ ➡ $\bigstar - \boxed{} + 15 = 19$

$\bigstar - 56 = \boxed{}$

$\bigstar = \boxed{}$

빈칸에 알맞은 수를 써넣어 ★이 나타내는 수를 구하세요.

$23 + ★ \times 7 - 25 = 40$ ➡ $23 + ★ \times 7 = \boxed{}$

$★ \times 7 = \boxed{}$

$★ = \boxed{}$

$38 + ★ \div 5 + 18 = 61$ ➡ $38 + ★ \div 5 = \boxed{}$

$★ \div 5 = \boxed{}$

$★ = \boxed{}$

$14 + ★ \times 6 + 23 = 55$ ➡ $14 + ★ \times 6 = \boxed{}$

$★ \times 6 = \boxed{}$

$★ = \boxed{}$

$17 + ★ \div 3 - 8 = 23$ ➡ $17 + ★ \div 3 = \boxed{}$

$★ \div 3 = \boxed{}$

$★ = \boxed{}$

빈칸에 알맞은 수를 써넣어 ★이 나타내는 수를 구하세요.

$27 \div 9 + 45 \div ★ = 12$ ➡ $\boxed{} + 45 \div ★ = 12$

$45 \div ★ = \boxed{}$

$★ = \boxed{}$

$12 \times 5 + 7 \times ★ = 88$ ➡ $\boxed{} + 7 \times ★ = 88$

$7 \times ★ = \boxed{}$

$★ = \boxed{}$

$4 \times 9 + 26 \div ★ = 49$ ➡ $\boxed{} + 26 \div ★ = 49$

$26 \div ★ = \boxed{}$

$★ = \boxed{}$

$52 \div 4 + 6 \times ★ = 31$ ➡ $\boxed{} + 6 \times ★ = 31$

$6 \times ★ = \boxed{}$

$★ = \boxed{}$

혼합 계산식의 활용 (2)

수 카드를 한 번씩 사용하여 목표수를 만들려고 합니다. 빈칸에 알맞은 수를 써넣으세요.

| 2 | 16 | 24 |

$$24 + 2 \times 16 = 56$$

| 6 | 13 | 93 |

$$\boxed{} - \boxed{} \times 6 = 15$$

| 3 | 8 | 42 |

$$\boxed{} + \boxed{} \div \boxed{} = 22$$

| 4 | 5 | 15 |

$$4 \times \boxed{} \div \boxed{} = 12$$

| 7 | 12 | 13 |

$$\boxed{} + 7 \times \boxed{} = 97$$

| 8 | 16 | 72 |

$$\boxed{} + \boxed{} \div \boxed{} = 25$$

수 카드를 한 번씩 사용하여 목표수를 만들려고 합니다. 빈칸에 알맞은 수를 써넣으세요.

| 2 | 3 | 9 | 11 |

$\boxed{} + 3 \times \boxed{} - \boxed{} = 26$

| 4 | 5 | 17 | 20 |

$\boxed{} - \boxed{} + 4 \times \boxed{} = 23$

| 3 | 8 | 14 | 21 |

$\boxed{} + \boxed{} \div \boxed{} - \boxed{} = 13$

| 5 | 7 | 13 | 42 |

$\boxed{} + \boxed{} \div \boxed{} \times \boxed{} = 43$

| 2 | 9 | 13 | 27 |

$\boxed{} - \boxed{} + \boxed{} \div \boxed{} = 14$

| 2 | 5 | 33 | 45 |

$\boxed{} - \boxed{} \div \boxed{} \times \boxed{} = 15$

수 카드를 한 번씩 사용하여 답이 가장 크게 되는 식을 만들려고 합니다. 빈칸에 알맞은 수를 써넣으세요.

| 2 | 3 | 24 |

☐ ÷ ☐ × ☐ = ☐

| 4 | 6 | 36 |

☐ + ☐ ÷ ☐ = ☐

| 3 | 4 | 24 |

☐ ÷ ☐ × ☐ = ☐

| 4 | 7 | 15 | 35 |

☐ − ☐ + ☐ ÷ ☐ = ☐

| 4 | 6 | 17 | 20 |

☐ + ☐ ÷ ☐ − ☐ = ☐

| 2 | 5 | 7 | 28 |

☐ ÷ ☐ × ☐ − ☐ = ☐

수 카드를 한 번씩 사용하여 답이 가장 작게 되는 식을 만들려고 합니다. 빈칸에 알맞은 수를
써넣으세요.

| 6 | 9 | 36 |

◻ ÷ ◻ × ◻ = ◻

| 3 | 7 | 63 |

◻ + ◻ ÷ ◻ = ◻

| 2 | 7 | 42 |

◻ ÷ ◻ × ◻ = ◻

| 4 | 5 | 9 | 30 |

◻ ÷ ◻ × ◻ + ◻ = ◻

| 2 | 3 | 7 | 22 |

◻ ÷ ◻ × ◻ − ◻ = ◻

| 3 | 7 | 8 | 63 |

◻ + ◻ ÷ ◻ − ◻ = ◻

정답

정답

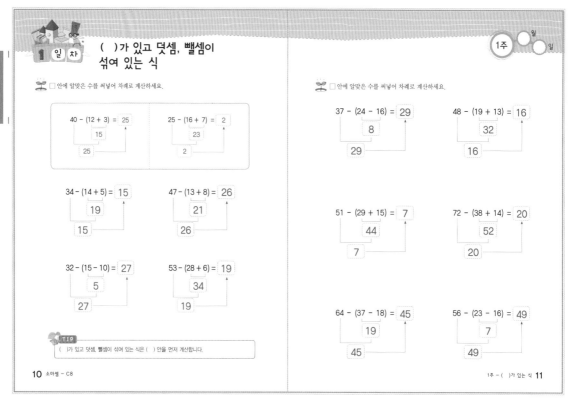

( )가 있고 덧셈, 뺄셈이
섞여 있는 식

□ 안에 알맞은 수를 써넣어 차례로 계산하세요.

40 - (12 + 3) = 25
15
25

25 - (16 + 7) = 2
23
2

34 - (14 + 5) = 15
19
15

47 - (13 + 8) = 26
21
26

32 - (15 - 10) = 27
5
27

53 - (28 + 6) = 19
34
19

TIP
( )가 있고 덧셈, 뺄셈이 섞여 있는 식은 ( ) 안을 먼저 계산합니다.

10 소마셈 - C8

1주

□ 안에 알맞은 수를 써넣어 차례로 계산하세요.

37 - (24 - 16) = 29
8
29

48 - (19 + 13) = 16
32
16

51 - (29 + 15) = 7
44
7

72 - (38 + 14) = 20
52
20

64 - (37 - 18) = 45
19
45

56 - (23 - 16) = 49
7
49

1주 - ( )가 있는 식 11

1주

□ 안에 알맞은 수를 써넣어 차례로 계산하세요.

35 - 14 - (7 + 8) = 6
21   15
6

44 - 12 - (5 + 9) = 18
32   14
18

33 - (18 - 14) + 7 = 36
4
29
36

52 - (6 + 15) - 12 = 19
21
31
19

40 - (16 + 7) + 13 = 30
23
17
30

48 - (11 - 6) - 14 = 29
5
43
29

12 소마셈 - C8

( )가 있고 덧셈, 뺄셈, 곱셈,
나눗셈이 섞여 있는 식

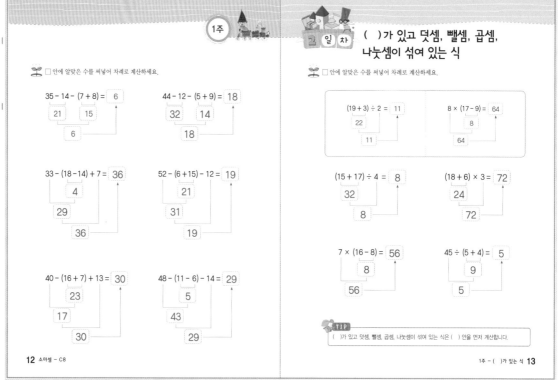

□ 안에 알맞은 수를 써넣어 차례로 계산하세요.

(19 + 3) ÷ 2 = 11
22
11

8 × (17 - 9) = 64
8
64

(15 + 17) ÷ 4 = 8
32
8

(18 + 6) × 3 = 72
24
72

7 × (16 - 8) = 56
8
56

45 ÷ (5 + 4) = 5
9
5

TIP
( )가 있고 덧셈, 뺄셈, 곱셈, 나눗셈이 섞여 있는 식은 ( ) 안을 먼저 계산합니다.

1주 - ( )가 있는 식 13

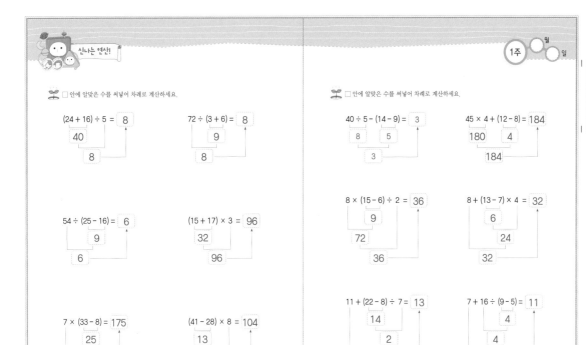

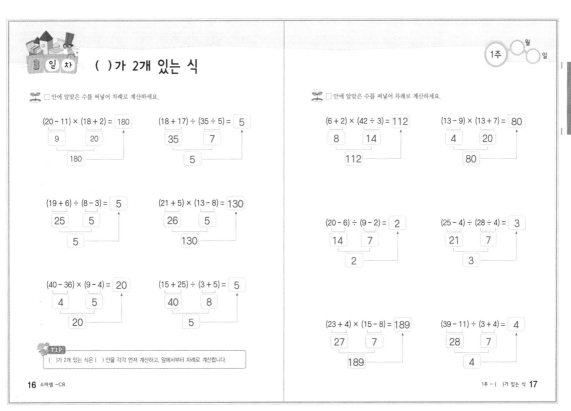

( )가 2개 있는 식

정답

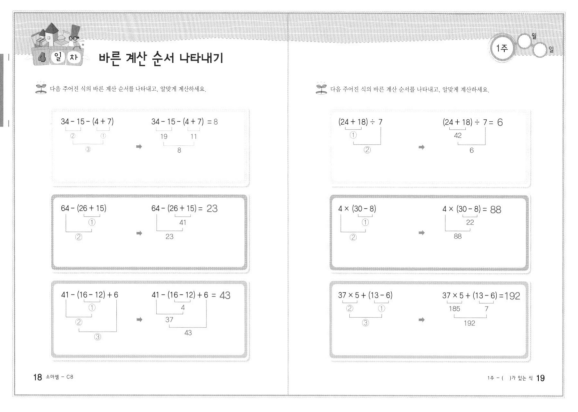

4일차 바른 계산 순서 나타내기

1주 일일

다음 주어진 식의 바른 계산 순서를 나타내고, 알맞게 계산하세요.

$34 - 15 - (4 + 7)$
② ①
③
→ $34 - 15 - (4 + 7) = 8$
19   11
8

$64 - (26 + 15)$
①
②
→ $64 - (26 + 15) = 23$
41
23

$41 - (16 - 12) + 6$
①
②
③
→ $41 - (16 - 12) + 6 = 43$
4
37
43

다음 주어진 식의 바른 계산 순서를 나타내고, 알맞게 계산하세요.

$(24 + 18) \div 7$
①
②
→ $(24 + 18) \div 7 = 6$
42
6

$4 \times (30 - 8)$
①
②
→ $4 \times (30 - 8) = 88$
22
88

$37 \times 5 + (13 - 6)$
② ①
③
→ $37 \times 5 + (13 - 6) = 192$
185   7
192

18 소마셈 - C8

1주 - ( )가 있는 식 19

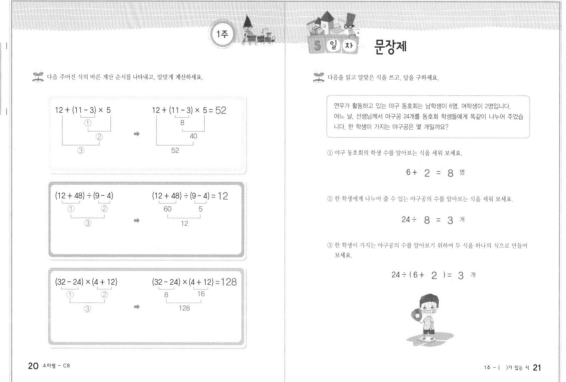

1주

다음 주어진 식의 바른 계산 순서를 나타내고, 알맞게 계산하세요.

$12 + (11 - 3) \times 5$
①
②
③
→ $12 + (11 - 3) \times 5 = 52$
8
40
52

$(12 + 48) \div (9 - 4)$
① ②
③
→ $(12 + 48) \div (9 - 4) = 12$
60   5
12

$(32 - 24) \times (4 + 12)$
① ②
③
→ $(32 - 24) \times (4 + 12) = 128$
8   16
128

20 소마셈 - C8

5일차 문장제

다음을 읽고 알맞은 식을 쓰고, 답을 구하세요.

연우가 활동하고 있는 야구 동호회는 남학생이 6명, 여학생이 2명입니다. 어느 날, 선생님께서 야구공 24개를 동호회 학생들에게 똑같이 나누어 주었습니다. 한 학생이 가지는 야구공은 몇 개일까요?

① 야구 동호회의 학생 수를 알아보는 식을 세워 보세요.

$6 + 2 = 8$ 명

② 한 학생에게 나누어 줄 수 있는 야구공의 수를 알아보는 식을 세워 보세요.

$24 \div 8 = 3$ 개

③ 한 학생이 가지는 야구공의 수를 알아보기 위하여 두 식을 하나의 식으로 만들어 보세요.

$24 \div (6 + 2) = 3$ 개

1주 - ( )가 있는 식 21

다음을 읽고 알맞은 식을 쓰고, 답을 구하세요.

미소네 가족이 딸기농장으로 여행을 갔습니다. 아빠는 42개, 엄마는 26개를 땄고, 미소는 엄마보다 7개를 적게 땄습니다. 아빠는 미소보다 딸기를 몇 개 더 많이 땄을까요?

식 : 42 - (26 - 7) = 23   23 개

빨간색 접시 4개와 파란색 접시 3개가 있습니다. 이 접시에 어머니께서 사 오신 귤 35개를 똑같이 나누어 담았습니다. 접시 한 개에 담은 귤은 몇 개일까요?

식 : 35 ÷ (4 + 3) = 5   5 개

다음을 읽고 알맞은 식을 쓰고, 답을 구하세요.

은미네 아빠는 38살입니다. 엄마는 32살이고, 은미는 엄마보다 27살이 적습니다. 은미의 아빠는 은미보다 몇 살이 더 많을까요?

식 : 38 - (32 - 27) = 33   33 살

수정이네 반은 7명씩 6모둠입니다. 수정이네 반 학생들에게 210자루의 연필을 똑같이 나누어 준다면, 한 사람에게 몇 자루씩 나누어 줄 수 있을까요?

식 : 210 ÷ (7 × 6) = 5   5 자루

영은이는 아빠가 주신 용돈 1500원으로 300원짜리 연필 1자루와 500원짜리 가위 1개를 샀습니다. 영은이가 연필과 가위를 사고 남은 돈은 얼마일까요?

식 : 1500 - (300 + 500) = 700   700 원

다음을 읽고 알맞은 식을 쓰고, 답을 구하세요.

흰 그릇이 5개, 파란 그릇이 3개 있습니다. 이 그릇에 자두 48개를 똑같이 나누어 담았습니다. 그릇 한 개에 담은 자두는 몇 개일까요?

식 : 48 ÷ (5 + 3) = 6   6 개

제과점에서 빵을 만드는 데 하루에 25L짜리 우유 1통과 12L짜리 우유 1통을 사용합니다. 이 제과점에서 일주일 동안 필요한 우유의 양은 몇 L일까요?

식 : (25 + 12) × 7 = 259   259 L

엄마가 주신 용돈 2100원으로 900원짜리 사과와 400원짜리 귤 2개를 샀습니다. 남은 용돈은 얼마입니까?

식 : 2100 - (900 + 400 + 400) = 400   400 원

정답

1일차 { }가 있는 식

□ 안에 알맞은 수를 써넣어 차례로 계산하세요.

$\{22 - 72 \div (6 + 3)\} \times 5 = 70$
9
8
14
70

$\{31 - (7 + 9) \div 2\} \times 3 = 69$
16
8
23
69

$4 \times \{16 - (12 - 5)\} \div 3 = 12$
7
9
36
12

$3 \times \{(14 + 5) - 7\} \div 2 = 18$
19
12
36
18

TIP
식에 쓰이는 괄호에는 ( ), { }가 있습니다. ( ), { }가 있는 식은 ( ) 안을 먼저 계산한 후, 다음에 { } 안을 계산합니다.

26 소마셈 – C8

□ 안에 알맞은 수를 써넣어 차례로 계산하세요.

$67 - \{8 \times (10 - 4) + 5\} = 14$
6
48
53
14

$45 - \{(13 - 6) \times 2 + 18\} = 13$
7
14
32
13

$17 + \{4 \times (11 - 7) - 6\} = 27$
4
16
10
27

$26 + \{(20 - 8) \div 4 + 7\} = 36$
12
3
10
36

TIP
{ }가 있는 식에서는 ( ) → { } → ×, ÷ → +, -의 계산 순서에 맞게 계산합니다.

2주 – { }가 있는 식 **27**

□ 안에 알맞은 수를 써넣어 차례로 계산하세요.

$\{64 \div 4 - (8 - 5)\} \times 3 = 39$
16 3
13
39

$\{51 \div 3 - (7 + 7)\} \times 2 = 6$
17 14
3
6

$\{18 \times 2 - (11 - 9)\} \div 2 = 17$
36 2
34
17

$\{13 \times 4 - (7 + 9)\} \div 4 = 9$
52 16
36
9

$14 \times \{60 \div 5 - (13 - 7)\} = 84$
12 6
6
84

$72 \div \{7 \times 7 - (43 + 3)\} = 24$
49 46
3
24

28 소마셈 – C8

2일차 바른 계산 순서 나타내기

다음 주어진 식의 바른 계산 순서를 나타내고, 알맞게 계산하세요.

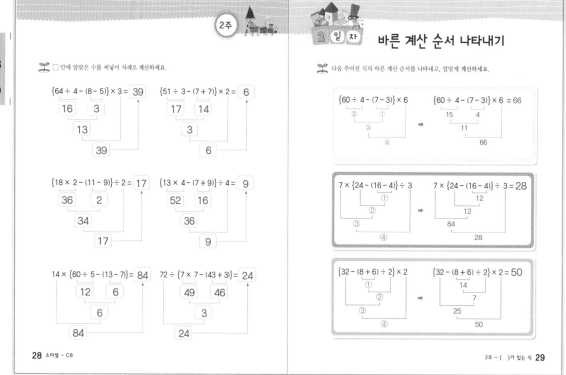

$\{60 \div 4 - (7 - 3)\} \times 6$ ➁ ➀ ➂ ➃ ➡ $\{60 \div 4 - (7 - 3)\} \times 6 = 66$
15 4
11
66

$7 \times \{24 - (16 - 4)\} \div 3$ ➀ ➁ ➂ ➃ ➡ $7 \times \{24 - (16 - 4)\} \div 3 = 28$
12
12
84
28

$\{32 - (8 + 6) \div 2\} \times 2$ ➀ ➁ ➂ ➃ ➡ $\{32 - (8 + 6) \div 2\} \times 2 = 50$
14
7
25
50

2주 – { }가 있는 식 **29**

신나는 연산!

다음 주어진 식의 바른 계산 순서를 나타내고, 알맞게 계산하세요.

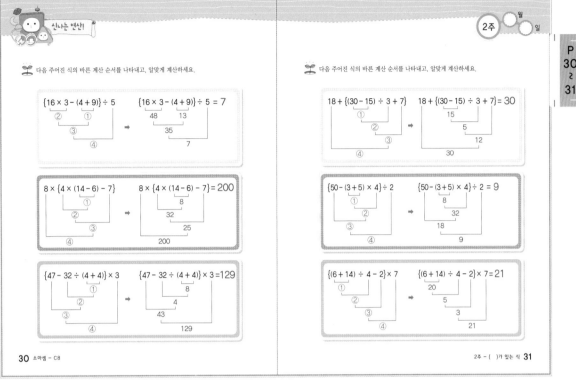

다음 주어진 식의 바른 계산 순서를 나타내고, 알맞게 계산하세요.

3 일 차 크기 비교

다음을 계산하고, 계산 결과의 크기를 비교하여 ◯ 안에 >, =, <를 알맞게 써넣으세요.

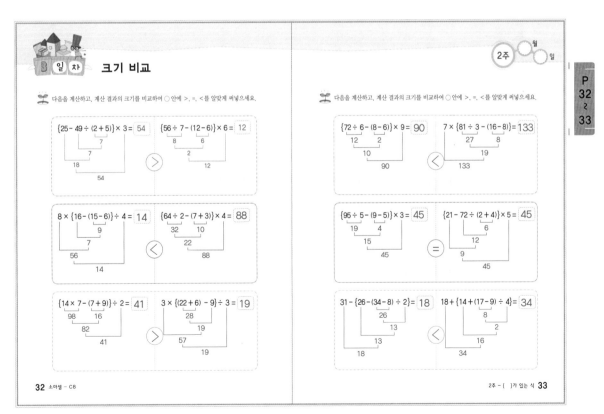

다음을 계산하고, 계산 결과의 크기를 비교하여 ◯ 안에 >, =, <를 알맞게 써넣으세요.

정답

P
34
~
35

4 일 차 혼합 계산 퍼즐

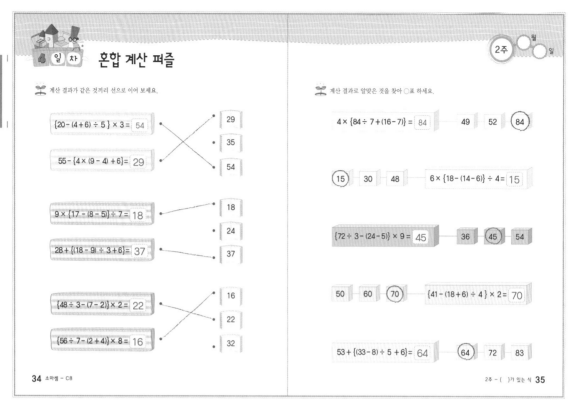

🌱 계산 결과가 같은 것끼리 선으로 이어 보세요.

$\{20 - (4 + 6) \div 5\} \times 3 =$ 54

$55 - \{4 \times (9 - 4) + 6\} =$ 29

• 29
• 35
• 54

$9 \times \{17 - (8 - 5)\} \div 7 =$ 18

$28 + \{(18 - 9) \div 3 + 6\} =$ 37

• 18
• 24
• 37

$\{48 \div 3 - (7 - 2)\} \times 2 =$ 22

$\{56 \div 7 - (2 + 4)\} \times 8 =$ 16

• 16
• 22
• 32

🌱 계산 결과로 알맞은 것을 찾아 ○표 하세요.

$4 \times \{84 \div 7 + (16 - 7)\} =$ 84   49   52   (84)

(15)   30   48 $6 \times \{18 - (14 - 6)\} \div 4 =$ 15

$\{72 \div 3 - (24 - 5)\} \times 9 =$ 45   36   (45)   54

50   60   (70) $\{41 - (18 + 6) \div 4\} \times 2 =$ 70

$53 + \{(33 - 8) \div 5 + 6\} =$ 64   (64)   72   83

5 일 차 문장제

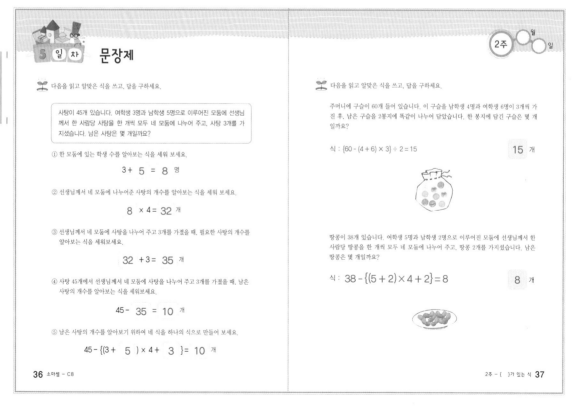

🌱 다음을 읽고 알맞은 식을 쓰고, 답을 구하세요.

사탕이 45개 있습니다. 여학생 3명과 남학생 5명으로 이루어진 모둠에 선생님께서 한 사람당 사탕을 한 개씩 모두 네 모둠에 나누어 주고, 사탕 3개를 가지셨습니다. 남은 사탕은 몇 개일까요?

① 한 모둠에 있는 학생 수를 알아보는 식을 세워 보세요.

3 + 5 = 8 명

② 선생님께서 네 모둠에 나누어준 사탕의 개수를 알아보는 식을 세워 보세요.

8 × 4 = 32 개

③ 선생님께서 네 모둠에 사탕을 나누어 주고 3개를 가졌을 때, 필요한 사탕의 개수를 알아보는 식을 세워보세요.

32 + 3 = 35 개

④ 사탕 45개에서 선생님께서 네 모둠에 사탕을 나누어 주고 3개를 가졌을 때, 남은 사탕의 개수를 알아보는 식을 세워 보세요.

45 - 35 = 10 개

⑤ 남은 사탕의 개수를 알아보기 위하여 네 식을 하나의 식으로 만들어 보세요.

45 - {(3 + 5) × 4 + 3 } = 10 개

🌱 다음을 읽고 알맞은 식을 쓰고, 답을 구하세요.

주머니에 구슬이 60개 들어 있습니다. 이 구슬을 남학생 4명과 여학생 6명이 3개씩 가진 후, 남은 구슬을 2봉지에 똑같이 나누어 담았습니다. 한 봉지에 담긴 구슬은 몇 개일까요?

식 : $\{60 - (4 + 6) \times 3\} \div 2 = 15$

15 개

땅콩이 38개 있습니다. 여학생 5명과 남학생 2명으로 이루어진 모둠에 선생님께서 한 사람당 땅콩을 한 개씩 모두 네 모둠에 나누어 주고, 땅콩 2개를 가지셨습니다. 남은 땅콩은 몇 개일까요?

식 : $38 - \{(5 + 2) \times 4 + 2\} = 8$

8 개

다음을 읽고 알맞은 식을 쓰고, 답을 구하세요.

상자에 사탕이 44개 들어 있습니다. 이 사탕을 남학생 2명과 여학생 2명이 5개씩 먹은 후, 남은 사탕을 2접시에 똑같이 나누어 담았습니다. 한 접시에 담긴 사탕은 몇 개일까요?

식 : $\{44 - (2 + 2) \times 5\} \div 2 = 12$ 　　　12 개

영희는 빨간 구슬 9개와 노란 구슬 13개를 가지고 있고, 철수는 영희가 가진 구슬의 2배보다 4개 더 적게 가지고 있습니다. 철수가 가지고 있는 구슬을 한 사람에게 5개씩 나누어 준다면, 몇 명에게 줄 수 있을까요?

식 : $\{(9 + 13) \times 2 - 4\} \div 5 = 8$ 　　　8 명

정현이는 문방구에서 400원짜리 공책 1권과 300원짜리 지우개 1개가 들어 있는 문구 세트를 2개 사고, 200원짜리 연필 1자루를 샀습니다. 2000원을 냈다면 거스름돈은 얼마를 받아야 할까요?

식 : $2000 - \{(400 + 300) \times 2 + 200\} = 400$ 　　　400 원

다음을 읽고 알맞은 식을 쓰고, 답을 구하세요.

희수는 파란 구슬 5개와 노란 구슬 8개를 가지고 있고, 민주는 희수가 가진 구슬의 3배보다 5개 더 많게 가지고 있습니다. 민주가 가지고 있는 구슬을 한 사람에게 4개씩 나누어 준다면, 몇 명에게 나누어 줄 수 있을까요?

식 : $\{(5 + 8) \times 3 + 5\} \div 4 = 11$ 　　　11 명

상자에 귤이 36개 있습니다. 이 귤을 남학생 3명과 여학생 2명이 4개씩 가진 후, 남은 귤을 2상자에 똑같이 나누어 담았습니다. 한 상자에 담긴 귤은 몇 개일까요?

식 : $\{36 - (3 + 2) \times 4\} \div 2 = 8$ 　　　8 개

태주는 과일 가게에서 700원짜리 사과 1개와 500원짜리 감 1개가 들어 있는 과일 바구니를 3개 사고, 300원짜리 귤 1개를 샀습니다. 4000원을 냈다면 거스름돈은 얼마를 받아야 할까요?

식 : $4000 - \{(700 + 500) \times 3 + 300\} = 100$ 　　　100 원

□ 구하기 (1)

빈칸에 알맞은 수를 써넣어 ★이 나타내는 수를 구하세요.

$54 \div 6 - ★ = 3 \;\Rightarrow\; 9 - ★ = 3$

★ = 6

$56 \div 8 - ★ = 2$
↓
$7 - ★ = 2$
★ = 5

$28 \times 3 - ★ = 41$
↓
$84 - ★ = 41$
★ = 43

$48 \div 4 + ★ = 23$
↓
$12 + ★ = 23$
★ = 11

$7 \times 9 \div ★ = 3$
↓
$63 \div ★ = 3$
★ = 21

TIP

주어진 혼합 계산식의 계산 순서를 알아봅니다. 계산할 수 있는 식을 먼저 계산하고, 계산 순서를 거꾸로 생각하여 □를 구합니다.

빈칸에 알맞은 수를 써넣어 ★이 나타내는 수를 구하세요.

$23 \times 7 - ★ = 113$
↓
$161 - ★ = 113$
★ = 48

$92 \div 4 - ★ = 16$
↓
$23 - ★ = 16$
★ = 7

$78 \div 6 + ★ = 43$
↓
$13 + ★ = 43$
★ = 30

$36 \times 3 - ★ = 53$
↓
$108 - ★ = 53$
★ = 55

$70 \div 2 + ★ = 54$
↓
$35 + ★ = 54$
★ = 19

$12 \times 6 \div ★ = 24$
↓
$72 \div ★ = 24$
★ = 3

3주

빈칸에 알맞은 수를 써넣어 ♥가 나타내는 수를 구하세요.

$$♥ + 5 × 7 - 20 = 63 \Rightarrow ♥ + \boxed{35} - 20 = 63$$
$$♥ + 35 = 83$$
$$♥ = \boxed{48}$$

$$♥ - 6 × 2 + 15 = 54 \Rightarrow ♥ - \boxed{12} + 15 = 54$$
$$♥ - 12 = \boxed{39}$$
$$♥ = \boxed{51}$$

$$♥ + 40 ÷ 5 + 26 = 67 \Rightarrow ♥ + \boxed{8} + 26 = 67$$
$$♥ + 8 = \boxed{41}$$
$$♥ = \boxed{33}$$

$$♥ + 3 × 8 - 13 = 29 \Rightarrow ♥ + \boxed{24} - 13 = 29$$
$$♥ + 24 = \boxed{42}$$
$$♥ = \boxed{18}$$

빈칸에 알맞은 수를 써넣어 ♥가 나타내는 수를 구하세요.

$$♥ + 27 ÷ 3 + 33 = 52 \Rightarrow ♥ + \boxed{9} + 33 = 52$$
$$♥ + 9 = \boxed{19}$$
$$♥ = \boxed{10}$$

$$♥ + 8 × 5 - 16 = 74 \Rightarrow ♥ + \boxed{40} - 16 = 74$$
$$♥ + 40 = \boxed{90}$$
$$♥ = \boxed{50}$$

$$♥ + 4 × 15 - 46 = 22 \Rightarrow ♥ + \boxed{60} - 46 = 22$$
$$♥ + 60 = \boxed{68}$$
$$♥ = \boxed{8}$$

$$♥ - 17 × 2 + 15 = 23 \Rightarrow ♥ - \boxed{34} + 15 = 23$$
$$♥ - 34 = \boxed{8}$$
$$♥ = \boxed{42}$$

3주 월 일

□ 구하기 (2)

빈칸에 알맞은 수를 써넣어 ◆가 나타내는 수를 구하세요.

$$16 + ◆ × 5 - 12 = 19 \Rightarrow 16 + ◆ × 5 = \boxed{31}$$
$$◆ × 5 = \boxed{15}$$
$$◆ = \boxed{3}$$

$$24 + ◆ × 4 - 9 = 43 \Rightarrow 24 + ◆ × 4 = \boxed{52}$$
$$◆ × 4 = \boxed{28}$$
$$◆ = \boxed{7}$$

$$34 + ◆ ÷ 2 - 14 = 24 \Rightarrow 34 + ◆ ÷ 2 = \boxed{38}$$
$$◆ ÷ 2 = \boxed{4}$$
$$◆ = \boxed{8}$$

$$12 + ◆ × 8 - 21 = 31 \Rightarrow 12 + ◆ × 8 = \boxed{52}$$
$$◆ × 8 = \boxed{40}$$
$$◆ = \boxed{5}$$

빈칸에 알맞은 수를 써넣어 ◆가 나타내는 수를 구하세요.

$$18 + ◆ ÷ 3 - 5 = 20 \Rightarrow 18 + ◆ ÷ 3 = \boxed{25}$$
$$◆ ÷ 3 = \boxed{7}$$
$$◆ = \boxed{21}$$

$$24 + ◆ × 7 - 34 = 32 \Rightarrow 24 + ◆ × 7 = \boxed{66}$$
$$◆ × 7 = \boxed{42}$$
$$◆ = \boxed{6}$$

$$31 + ◆ ÷ 5 + 16 = 57 \Rightarrow 31 + ◆ ÷ 5 = \boxed{41}$$
$$◆ ÷ 5 = \boxed{10}$$
$$◆ = \boxed{50}$$

$$15 + ◆ × 6 - 11 = 52 \Rightarrow 15 + ◆ × 6 = \boxed{63}$$
$$◆ × 6 = \boxed{48}$$
$$◆ = \boxed{8}$$

🌱 빈칸에 알맞은 수를 써넣어 ♣가 나타내는 수를 구하세요.

$$40 ÷ 8 + 56 ÷ ♣ = 12 \Rightarrow \boxed{5} + 56 ÷ ♣ = 12$$
$$56 ÷ ♣ = \boxed{7}$$
$$♣ = \boxed{8}$$

$$7 × 6 + 24 ÷ ♣ = 50 \Rightarrow \boxed{42} + 24 ÷ ♣ = 50$$
$$24 ÷ ♣ = \boxed{8}$$
$$♣ = \boxed{3}$$

$$96 ÷ 4 + 5 × ♣ = 59 \Rightarrow \boxed{24} + 5 × ♣ = 59$$
$$5 × ♣ = \boxed{35}$$
$$♣ = \boxed{7}$$

$$3 × 14 + 2 × ♣ = 66 \Rightarrow \boxed{42} + 2 × ♣ = 66$$
$$2 × ♣ = \boxed{24}$$
$$♣ = \boxed{12}$$

🌱 빈칸에 알맞은 수를 써넣어 ♣가 나타내는 수를 구하세요.

$$54 ÷ 6 + 60 ÷ ♣ = 19 \Rightarrow \boxed{9} + 60 ÷ ♣ = 19$$
$$60 ÷ ♣ = \boxed{10}$$
$$♣ = \boxed{6}$$

$$3 × 21 + 28 ÷ ♣ = 70 \Rightarrow \boxed{63} + 28 ÷ ♣ = 70$$
$$28 ÷ ♣ = \boxed{7}$$
$$♣ = \boxed{4}$$

$$49 ÷ 7 + 5 × ♣ = 72 \Rightarrow \boxed{7} + 5 × ♣ = 72$$
$$5 × ♣ = \boxed{65}$$
$$♣ = \boxed{13}$$

$$14 × 3 + 6 × ♣ = 84 \Rightarrow \boxed{42} + 6 × ♣ = 84$$
$$6 × ♣ = \boxed{42}$$
$$♣ = \boxed{7}$$

괄호 넣어 식 만들기

3일차

3주 월 일

🌱 등식이 성립하도록 알맞은 곳에 ( ) 표시를 하세요.

$$(37 - 13) ÷ 4 + 3 = 9$$

$$29 -(6 + 4) - 3 = 16$$

$$27 ÷ 9 ×(5 + 12) = 51$$

$$40 ÷ (5 + 3)- 2 = 3$$

$$13 + 4 ×(9 + 16) = 113$$

TIP
( )를 사용하여 만들 수 있는 여러 개의 식을 만들어 보고, 계산하여 식이 성립하는 경우를 찾습니다. 이때, × 또는 ÷는 ( )로 묶어도 계산 순서가 바뀌지 않으므로 + 또는 -를 ( )로 묶어 봅니다.

🌱 등식이 성립하도록 알맞은 곳에 ( ) 표시를 하세요.

$$(12 - 6 + 5) × 7 = 77$$

$$(42 - 18)÷ 3 + 27 = 35$$

$$72 ÷ (4 + 8 - 3) = 8$$

$$24 ÷ (6 + 2) × 9 - 7 = 20$$

$$7 + 6 ×(38 - 8)÷ 2 = 97$$

$$7 × (15 - 7 + 2)÷ 2 = 35$$

정답

4 일차 연산 기호 넣어 식 만들기 (1)

서로 다른 방법으로 등식이 성립하도록 수 사이에 +, −, ×, ÷ 중 알맞은 기호를 써넣으세요.

* 여러가지 방법이 있습니다.

$2 \times 2 - 2 = 2$ $2 + 2 - 2 = 2$

$2 \times 2 \div 2 = 2$ $2 \div 2 \times 2 = 2$

$3 + 3 - 3 = 3$ $3 - 3 + 3 = 3$

$3 \times 3 \div 3 = 3$ $3 \div 3 \times 3 = 3$

$4 - 2 - 1 = 1$ $4 - 2 + 1 = 3$

$4 + 2 - 1 = 5$ $4 + 2 + 1 = 7$

$4 \times 2 + 1 = 9$

등식이 성립하도록 수 사이에 +, −, ×, ÷, ( ) 중 알맞은 기호를 써넣으세요.

$3 - (2 + 1) = 0$ $3 - 2 \times 1 = 1$

$3 - 2 + 1 = 2$ $3 \times (2 - 1) = 3$

$3 + 2 - 1 = 4$ $3 + 2 \times 1 = 5$

$3 \div 3 + 3 - 3 = 1$ $3 \div 3 + 3 \div 3 = 2$

$3 \times 3 - 3 - 3 = 3$ $(3 \times 3 + 3) \div 3 = 4$

$3 - 3 \div 3 + 3 = 5$ $3 + 3 + 3 - 3 = 6$

$3 + 3 \div 3 + 3 = 7$ $3 \times 3 - 3 \div 3 = 8$

$3 \times 3 \times 3 \div 3 = 9$

5 일차 연산 기호 넣어 식 만들기 (2)

등식이 성립하도록 ○ 안에 +, −, ×, ÷ 중 알맞은 기호를 써넣으세요.

$3 \times 3 - 12 \div 4 = 6$

$7 \times 2 + 15 \div 3 = 19$

$2 + 7 \times 8 + 6 = 64$

$50 \div 2 - 40 \div 5 = 17$

$8 + 25 - 54 \div 9 = 27$

$4 \times 5 + 28 \div 7 = 24$

등식이 성립하도록 ○ 안에 +, −, ×, ÷ 중 알맞은 기호를 써넣으세요.

$6 \div 3 \times (12 + 4) = 32$

$8 \times 7 - (17 - 8) = 47$

$15 - (23 + 5) \div 4 = 8$

$63 \div (13 - 6) \times 2 = 18$

$9 \times 6 \div (34 - 32) = 27$

TIP

( )는 계산 순서를 바꿀 수 있습니다. 따라서 ( ) 안에 들어가는 연산 기호로 ×, ÷를 넣기
보다는 +, −를 넣어 보는 것이 좋습니다.

1 일 차 약속

다음 도형이 나타내는 규칙에 맞게 계산해 보세요.

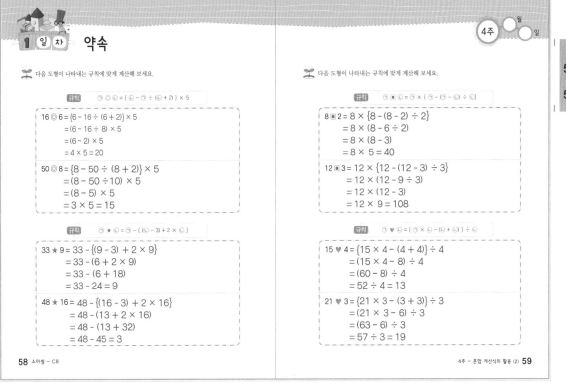

규칙 ㉠ ◎ ㉡ = { ㉡ - ㉠ ÷ (㉡ + 2) } × 5

16 ◎ 6 = {6 - 16 ÷ (6 + 2)} × 5
= (6 - 16 ÷ 8) × 5
= (6 - 2) × 5
= 4 × 5 = 20

50 ◎ 8 = {8 - 50 ÷ (8 + 2)} × 5
= (8 - 50 ÷ 10) × 5
= (8 - 5) × 5
= 3 × 5 = 15

규칙 ㉠ ★ ㉡ = ㉠ - { (㉡ - 3) + 2 × ㉡ }

33 ★ 9 = 33 - {(9 - 3) + 2 × 9}
= 33 - (6 + 2 × 9)
= 33 - (6 + 18)
= 33 - 24 = 9

48 ★ 16 = 48 - {(16 - 3) + 2 × 16}
= 48 - (13 + 2 × 16)
= 48 - (13 + 32)
= 48 - 45 = 3

다음 도형이 나타내는 규칙에 맞게 계산해 보세요.

규칙 ㉠ ▣ ㉡ = ㉠ × { ㉠ - (㉠ - ㉡) ÷ ㉡ }

8 ▣ 2 = 8 × {8 - (8 - 2) ÷ 2}
= 8 × (8 - 6 ÷ 2)
= 8 × (8 - 3)
= 8 × 5 = 40

12 ▣ 3 = 12 × {12 - (12 - 3) ÷ 3}
= 12 × (12 - 9 ÷ 3)
= 12 × (12 - 3)
= 12 × 9 = 108

규칙 ㉠ ♥ ㉡ = { ㉠ × ㉡ - (㉡ + ㉡) } ÷ ㉡

15 ♥ 4 = {15 × 4 - (4 + 4)} ÷ 4
= (15 × 4 - 8) ÷ 4
= (60 - 8) ÷ 4
= 52 ÷ 4 = 13

21 ♥ 3 = {21 × 3 - (3 + 3)} ÷ 3
= (21 × 3 - 6) ÷ 3
= (63 - 6) ÷ 3
= 57 ÷ 3 = 19

58 소마셈 – C8

4주 – 혼합 계산식의 활용 (2) 59

2 일 차 목표수 만들기

수 카드를 한 번씩 사용하여 목표수를 만들려고 합니다. 빈칸에 알맞은 수를 써넣으세요.

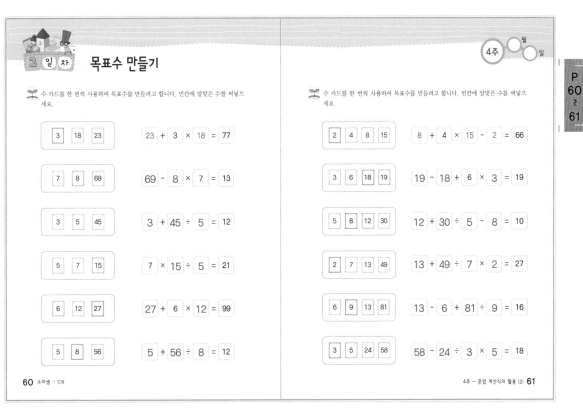

| 3 | 18 | 23 |

23 + 3 × 18 = 77

| 7 | 8 | 69 |

69 - 8 × 7 = 13

| 3 | 5 | 45 |

3 + 45 ÷ 5 = 12

| 5 | 7 | 15 |

7 × 15 ÷ 5 = 21

| 6 | 12 | 27 |

27 + 6 × 12 = 99

| 5 | 8 | 56 |

5 + 56 ÷ 8 = 12

수 카드를 한 번씩 사용하여 목표수를 만들려고 합니다. 빈칸에 알맞은 수를 써넣으세요.

| 2 | 4 | 8 | 15 |

8 + 4 × 15 - 2 = 66

| 3 | 6 | 18 | 19 |

19 - 18 + 6 × 3 = 19

| 5 | 8 | 12 | 30 |

12 + 30 ÷ 5 - 8 = 10

| 2 | 7 | 13 | 49 |

13 + 49 ÷ 7 × 2 = 27

| 6 | 9 | 13 | 81 |

13 - 6 + 81 ÷ 9 = 16

| 3 | 5 | 24 | 58 |

58 - 24 ÷ 3 × 5 = 18

60 소마셈 – C8

4주 – 혼합 계산식의 활용 (2) 61

정답 101

3 일 차 가장 큰 수 만들기

 4주 월 일

🌱 수 카드를 한 번씩 사용하여 답이 가장 크게 되는 식을 만들려고 합니다. 빈칸에 알맞은 수를 써넣으세요.

| 4 | 5 | 40 |

$$40 \div 4 \times 5 = 50$$

| 6 | 9 | 54 |

$$54 \div 6 \times 9 = 81$$

| 3 | 7 | 42 |

$$7 + 42 \div 3 = 21$$

| 2 | 7 | 28 |

$$28 \div 2 \times 7 = 98$$

| 3 | 8 | 72 |

$$8 + 72 \div 3 = 32$$

 TIP
가장 먼저 계산해야 하는 식을 찾아 가능한 방법을 찾아봅니다. 그 중 계산 결과가 가장 크게 나오도록 수를 써 넣어 식을 완성합니다. (이때, 곱하거나 더하는 수는 크게, 나누거나 빼는 수는 작게 합니다.)

🌱 수 카드를 한 번씩 사용하여 답이 가장 크게 되는 식을 만들려고 합니다. 빈칸에 알맞은 수를 써넣으세요.

| 2 | 5 | 7 | 14 |

$$14 \div 2 \times 7 - 5 = 44$$

| 3 | 8 | 15 | 17 |

$$17 + 15 \div 3 - 8 = 14$$

| 4 | 9 | 14 | 32 |

$$14 + 32 \div 4 - 9 = 13$$

| 3 | 5 | 8 | 24 |

$$24 \div 3 \times 8 - 5 = 59$$

| 4 | 6 | 28 | 41 |

$$41 - 6 + 28 \div 4 = 42$$

| 5 | 7 | 18 | 49 |

$$18 - 5 + 49 \div 7 = 20$$

 4 일 차 가장 작은 수 만들기

4주 월 일

🌱 수 카드를 한 번씩 사용하여 답이 가장 작게 되는 식을 만들려고 합니다. 빈칸에 알맞은 수를 써넣으세요.

| 4 | 6 | 36 |

$$36 \div 6 \times 4 = 24$$

| 4 | 8 | 40 |

$$40 \div 8 \times 4 = 20$$

| 2 | 4 | 32 |

$$32 \div 4 \times 2 = 16$$

| 3 | 6 | 72 |

$$3 + 72 \div 6 = 15$$

| 2 | 6 | 36 |

$$36 \div 6 \times 2 = 12$$

 TIP
가장 먼저 계산해야 하는 식을 찾아 가능한 방법을 찾아봅니다. 그 중 계산 결과가 가장 작게 나오도록 수를 써 넣어 식을 완성합니다. (이때, 곱하거나 더하는 수는 작게, 나누거나 빼는 수는 크게 합니다.)

🌱 수 카드를 한 번씩 사용하여 답이 가장 작게 되는 식을 만들려고 합니다. 빈칸에 알맞은 수를 써넣으세요.

| 2 | 3 | 7 | 14 |

$$14 \div 7 \times 2 - 3 = 1$$

| 3 | 5 | 11 | 27 |

$$5 + 27 \div 3 - 11 = 3$$

| 4 | 7 | 10 | 49 |

$$4 + 49 \div 7 - 10 = 1$$

| 5 | 7 | 9 | 30 |

$$30 \div 5 \times 7 - 9 = 33$$

| 4 | 5 | 19 | 20 |

$$20 \div 5 \times 4 + 19 = 35$$

| 3 | 4 | 7 | 21 |

$$21 \div 7 \times 3 - 4 = 5$$

5 일 차 □가 있는 식 만들기

다음을 읽고 □를 사용하여 식을 만들고, 바르게 계산한 값을 구하세요.

어떤 수를 2로 나누고 7을 곱해야 할 것을 잘못하여 어떤 수에 3을 곱하고 6으로 나누었더니 21이 되었습니다. 바르게 계산하면 얼마일까요?

잘못된 계산	바른 계산
$\square \times 3 \div 6 = 21$,	$42 \div 2 \times 7 = 147$
$\square \times 3 = 21 \times 6$,	
$\square \times 3 = 126$,	
$\square = 126 \div 3 = 42$	**147**

어떤 수를 6으로 나누고 12를 곱해야 할 것을 잘못하여 어떤 수에 4를 곱하고 9로 나누었더니 16이 되었습니다. 바르게 계산하면 얼마일까요?

잘못된 계산	바른 계산
$\square \times 4 \div 9 = 16$,	$36 \div 6 \times 12 = 72$
$\square \times 4 = 16 \times 9$,	
$\square \times 4 = 144$,	
$\square = 144 \div 4 = 36$	**72**

TIP
어떤 수를 □로 놓고 식을 만듭니다. 잘못 계산한 식의 순서를 거꾸로 생각하여 어떤 수를 먼저 구하고 바르게 계산합니다.

다음을 읽고 □를 사용하여 식을 만들고, 바르게 계산한 값을 구하세요.

어떤 수에 4를 곱하고 6으로 나누어야 할 것을 잘못하여 어떤 수를 9로 나누고 8을 곱하였더니 24가 되었습니다. 바르게 계산하면 얼마일까요?

잘못된 계산	바른 계산
$\square \div 9 \times 8 = 24$,	$27 \times 4 \div 6 = 18$
$\square \div 9 = 24 \div 8$,	
$\square \div 9 = 3$,	
$\square = 3 \times 9 = 27$	**18**

어떤 수에 7을 곱하고 3으로 나누어야 할 것을 잘못하여 어떤 수를 3으로 나누고 2를 곱하였더니 34가 되었습니다. 바르게 계산하면 얼마일까요?

잘못된 계산	바른 계산
$\square \div 3 \times 2 = 34$,	$51 \times 7 \div 3 = 119$
$\square \div 3 = 34 \div 2$,	
$\square \div 3 = 17$,	
$\square = 17 \times 3 = 51$	**119**

신나는 연산

다음을 읽고 □를 사용하여 식을 만들고, 바르게 계산한 값을 구하세요.

어떤 수를 2로 나누고 13을 곱해야 할 것을 잘못하여 어떤 수에 5를 곱하고 2로 나누었더니 65가 되었습니다. 바르게 계산하면 얼마일까요?

잘못된 계산	바른 계산
$\square \times 5 \div 2 = 65$,	$26 \div 2 \times 13 = 169$
$\square \times 5 = 65 \times 2$,	
$\square \times 5 = 130$,	
$\square = 130 \div 5 = 26$	**169**

어떤 수에 8을 곱하고 4로 나누어야 할 것을 잘못하여 어떤 수를 3으로 나누고 7을 곱하였더니 42가 되었습니다. 바르게 계산하면 얼마일까요?

잘못된 계산	바른 계산
$\square \div 3 \times 7 = 42$,	$18 \times 8 \div 4 = 36$
$\square \div 3 = 42 \div 7$,	
$\square \div 3 = 6$,	
$\square = 6 \times 3 = 18$	**36**

다음을 읽고 □를 사용하여 식을 만들고, 바르게 계산한 값을 구하세요.

어떤 수에 4를 곱하고 8로 나누어야 할 것을 잘못하여 어떤 수를 4로 나누고 5를 곱하였더니 80이 되었습니다. 바르게 계산하면 얼마일까요?

잘못된 계산	바른 계산
$\square \div 4 \times 5 = 80$,	$64 \times 4 \div 8 = 32$
$\square \div 4 = 80 \div 5$,	
$\square \div 4 = 16$,	
$\square = 16 \times 4 = 64$	**32**

어떤 수를 2로 나누고 6을 곱해야 할 것을 잘못하여 어떤 수에 3을 곱하고 4로 나누었더니 39가 되었습니다. 바르게 계산하면 얼마일까요?

잘못된 계산	바른 계산
$\square \times 3 \div 4 = 39$,	$52 \div 2 \times 6 = 156$
$\square \times 3 = 39 \times 4$,	
$\square \times 3 = 156$,	
$\square = 156 \div 3 = 52$	**156**

P 72 ~ 73

1주차 ( )가 있는 식

빈칸에 알맞은 수를 써넣으세요.

$53 - (18 + 27) = 8$
45
8

$61 - (35 - 16) = 42$
19
42

$48 ÷ (22 - 14) = 6$
8
6

$(16 + 5) × 4 = 84$
21
84

$44 - (13 + 7) - 13 = 11$
20
24
11

$26 + (43 - 8) ÷ 7 = 31$
35
5
31

빈칸에 알맞은 수를 써넣으세요.

$9 × (13 - 8) ÷ 3 = 15$
5
45
15

$10 + (24 - 6) × 4 = 82$
18
72
82

$17 × 4 + (12 - 5) = 75$
68
7
75

$(34 - 6) ÷ (9 - 5) = 7$
28
4
7

$(24 + 4) × (14 - 9) = 140$
28
5
140

$(51 - 23) ÷ (4 + 3) = 4$
28
7
4

P 74 ~ 75

1주차

빈칸에 알맞은 수를 써넣으세요.

$56 - (16 + 5) = 35$
21
35

$47 - (31 - 19) = 35$

$33 - (17 + 6) = 10$

$63 - (39 + 14) = 10$

$42 - 13 - (5 + 8) = 16$

$35 - (18 - 13) + 6 = 36$

$32 - (12 - 9) + 17 = 46$

$54 - 26 - (3 + 7) = 18$

빈칸에 알맞은 수를 써넣으세요.

$(33 + 19) ÷ 4 = 13$

$7 × (17 - 8) = 63$

$(43 - 26) × 6 = 102$

$72 ÷ (2 + 6) = 9$

$8 + 42 ÷ (12 - 5) = 14$

$16 + (13 - 7) × 5 = 46$

$(72 - 12) ÷ (2 + 3) = 12$

$(4 + 4) × (42 ÷ 3) = 112$

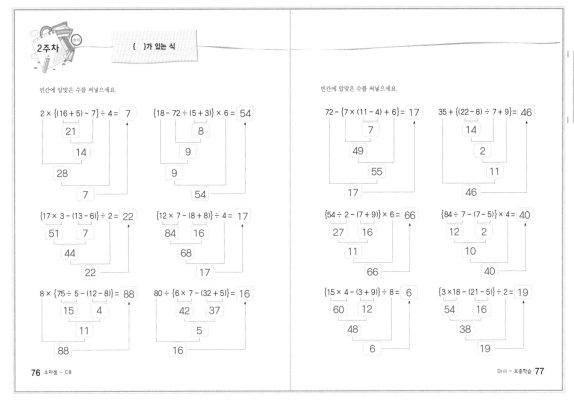

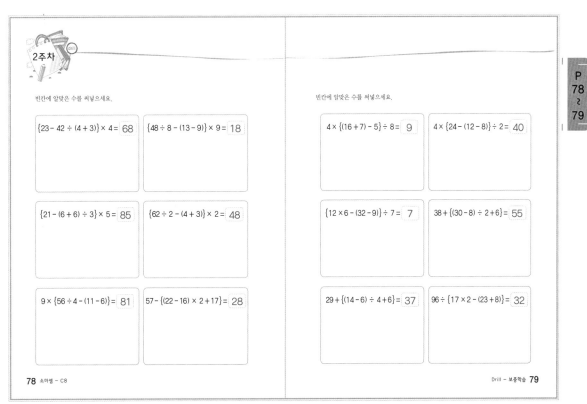

3주차 (drill) 혼합 계산식의 활용 (1)

빈칸에 알맞은 수를 써넣어 ★이 나타내는 수를 구하세요.

$40 ÷ 5 - ★ = 3$
↓
$\boxed{8} - ★ = 3$
$★ = \boxed{5}$

$17 × 3 - ★ = 36$
↓
$\boxed{51} - ★ = 36$
$★ = \boxed{15}$

$24 × 5 - ★ = 102$
↓
$\boxed{120} - ★ = 102$
$★ = \boxed{18}$

$75 ÷ 3 - ★ = 12$
↓
$\boxed{25} - ★ = 12$
$★ = \boxed{13}$

$68 ÷ 2 + ★ = 52$
↓
$\boxed{34} + ★ = 52$
$★ = \boxed{18}$

$4 × 19 ÷ ★ = 38$
↓
$\boxed{76} ÷ ★ = 38$
$★ = \boxed{2}$

빈칸에 알맞은 수를 써넣어 ★이 나타내는 수를 구하세요.

$★ - 3 × 6 + 17 = 24 \Rightarrow ★ - \boxed{18} + 17 = 24$
$★ - 18 = \boxed{7}$
$★ = \boxed{25}$

$★ + 45 ÷ 5 + 27 = 53 \Rightarrow ★ + \boxed{9} + 27 = 53$
$★ + 9 = \boxed{26}$
$★ = \boxed{17}$

$★ + 2 × 18 - 26 = 23 \Rightarrow ★ + \boxed{36} - 26 = 23$
$★ + 36 = \boxed{49}$
$★ = \boxed{13}$

$★ - 14 × 4 + 15 = 19 \Rightarrow ★ - \boxed{56} + 15 = 19$
$★ - 56 = \boxed{4}$
$★ = \boxed{60}$

3주차 (drill)

빈칸에 알맞은 수를 써넣어 ★이 나타내는 수를 구하세요.

$23 + ★ × 7 - 25 = 40 \Rightarrow 23 + ★ × 7 = \boxed{65}$
$★ × 7 = \boxed{42}$
$★ = \boxed{6}$

$38 + ★ ÷ 5 + 18 = 61 \Rightarrow 38 + ★ ÷ 5 = \boxed{43}$
$★ ÷ 5 = \boxed{5}$
$★ = \boxed{25}$

$14 + ★ × 6 + 23 = 55 \Rightarrow 14 + ★ × 6 = \boxed{32}$
$★ × 6 = \boxed{18}$
$★ = \boxed{3}$

$17 + ★ ÷ 3 - 8 = 23 \Rightarrow 17 + ★ ÷ 3 = \boxed{31}$
$★ ÷ 3 = \boxed{14}$
$★ = \boxed{42}$

빈칸에 알맞은 수를 써넣어 ★이 나타내는 수를 구하세요.

$27 ÷ 9 + 45 ÷ ★ = 12 \Rightarrow \boxed{3} + 45 ÷ ★ = 12$
$45 ÷ ★ = \boxed{9}$
$★ = \boxed{5}$

$12 × 5 + 7 × ★ = 88 \Rightarrow \boxed{60} + 7 × ★ = 88$
$7 × ★ = \boxed{28}$
$★ = \boxed{4}$

$4 × 9 + 26 ÷ ★ = 49 \Rightarrow \boxed{36} + 26 ÷ ★ = 49$
$26 ÷ ★ = \boxed{13}$
$★ = \boxed{2}$

$52 ÷ 4 + 6 × ★ = 31 \Rightarrow \boxed{13} + 6 × ★ = 31$
$6 × ★ = \boxed{18}$
$★ = \boxed{3}$

혼합 계산식의 활용 (2)

수 카드를 한 번씩 사용하여 목표수를 만들려고 합니다. 빈칸에 알맞은 수를 써넣으세요.

| 2 | 16 | 24 |

$24 + 2 \times 16 = 56$

| 6 | 13 | 93 |

$93 - 13 \times 6 = 15$

| 3 | 8 | 42 |

$8 + 42 \div 3 = 22$

| 4 | 5 | 15 |

$4 \times 15 \div 5 = 12$

| 7 | 12 | 13 |

$13 + 7 \times 12 = 97$

| 8 | 16 | 72 |

$16 + 72 \div 8 = 25$

수 카드를 한 번씩 사용하여 목표수를 만들려고 합니다. 빈칸에 알맞은 수를 써넣으세요.

| 2 | 3 | 9 | 11 |

$2 + 3 \times 11 - 9 = 26$

| 4 | 5 | 17 | 20 |

$20 - 17 + 4 \times 5 = 23$

| 3 | 8 | 14 | 21 |

$14 + 21 \div 3 - 8 = 13$

| 5 | 7 | 13 | 42 |

$13 + 42 \div 7 \times 5 = 43$

| 2 | 9 | 13 | 27 |

$13 - 2 + 27 \div 9 = 14$

| 2 | 5 | 33 | 45 |

$33 - 45 \div 5 \times 2 = 15$

수 카드를 한 번씩 사용하여 답이 가장 크게 되는 식을 만들려고 합니다. 빈칸에 알맞은 수를 써넣으세요.

| 2 | 3 | 24 |

$24 \div 2 \times 3 = 36$

| 4 | 6 | 36 |

$6 + 36 \div 4 = 15$

| 3 | 4 | 24 |

$24 \div 3 \times 4 = 32$

| 4 | 7 | 15 | 35 |

$15 - 4 + 35 \div 7 = 16$

| 4 | 6 | 17 | 20 |

$17 + 20 \div 4 - 6 = 16$

| 2 | 5 | 7 | 28 |

$28 \div 2 \times 7 - 5 = 93$

수 카드를 한 번씩 사용하여 답이 가장 작게 되는 식을 만들려고 합니다. 빈칸에 알맞은 수를 써넣으세요.

| 6 | 9 | 36 |

$36 \div 9 \times 6 = 24$

| 3 | 7 | 63 |

$3 + 63 \div 7 = 12$

| 2 | 7 | 42 |

$42 \div 7 \times 2 = 12$

| 4 | 5 | 9 | 30 |

$30 \div 5 \times 4 + 9 = 33$

| 2 | 3 | 7 | 22 |

$22 \div 2 \times 3 - 7 = 26$

| 3 | 7 | 8 | 63 |

$3 + 63 \div 7 - 8 = 4$